国際交流基金 日本語教授法シリーズ 11

日本事情・
日本文化を教える

国際交流基金 著

国際交流基金 日本語教授法シリーズ
【全14巻】

- 第 1 巻「日本語教師の役割／コースデザイン」
- 第 2 巻「音声を教える」[音声・動画・資料データ付属]
- 第 3 巻「文字・語彙を教える」
- 第 4 巻「文法を教える」
- 第 5 巻「聞くことを教える」[音声ダウンロード]
- 第 6 巻「話すことを教える」
- 第 7 巻「読むことを教える」
- 第 8 巻「書くことを教える」
- 第 9 巻「初級を教える」
- 第10巻「中・上級を教える」
- 第11巻「日本事情・日本文化を教える」
- 第12巻「学習を評価する」
- 第13巻「教え方を改善する」
- 第14巻「教材開発」

■はじめに

　国際交流基金日本語国際センター（以下「センター」）では1989年の開設以来、海外の日本語教師のためにさまざまな研修を行ってきました。1992年には、その研修用教材として『外国人教師のための日本語教授法』を作成し、主に「海外日本語教師長期研修」の教授法の授業で使用してきました。しかし、時代の流れとともに、各国の日本語教育の状況が変化し、一方、日本語教授法に関する研究も発展したため、センターの研修の形や内容もさまざまに変化してきました。

　そこで、現在センターの研修で行われている教授法授業の内容を新たにまとめ直し、今後の研修に役立て、また広く国内外の日本語教育関係のみなさまにも利用していただけるように、この教授法シリーズを出版することにしました。この教材の主な対象は、海外で日本語教育を行っている日本語を母語としない日本語教師ですが、広くそのほかの日本語教育関係者や、改めて日本語教授法を独りで学習する方々にも役立てていただけるものと考えます。また、現在教師をしている方々を対象としていますが、日本語教育経験の浅い先生からベテランの先生まで、できるだけ多くのみなさまに利用していただけるよう工夫しました。

■この教授法シリーズの目的

　このシリーズでは、日本語を教えるための必要な基礎的知識を紹介するだけでなく、実際の教室で、その知識がどう生かせるのかを考えてもらうことを目的としています。

　国際交流基金日本語国際センターでは、教師の基本的な姿勢として、特に次の能力を育てることを目的として研修を行ってきました。その方針はこのシリーズの中でも基本的な考え方となっています。

1）自分で考える力を養う

　理論や知識を受身的に身につけるのではなく、自分で考え、理解して吸収する力を身につけることを目的とします。

2）客観性、柔軟性を養う

　自分のこれまでの方法、考え方にとらわれず、ほかの教師の意見や方法を知り、客観的に理解し、時には柔軟に受け入れることのできる教師を育てることをめざします。

3）現実を見つめる視点を養う

つねに現状や与えられた環境、自分の特性や能力を客観的に正確に把握し、自分の現場に合った適切な方法を見つける姿勢を育てることをめざします。

4）将来的にも自ら成長できる姿勢を養う

研修終了後もつねに自分自身で課題を見つけ、成長しつづける自己研修型の教師を育てることをめざします。

■この教授法シリーズの構成

このシリーズは、テーマごとに独立した巻になっています。どの巻からでも学習を始めることができます。各巻のテーマと概要は以下の通りです。

第1巻	日本語教師の役割／コースデザイン	日本語を教えるうえでの全体的な問題をとりあげます。
第2巻	音声を教える	
第3巻	文字・語彙を教える	
第4巻	文法を教える	各項目に関する基礎的な知識の整理をし、具体的な教え方について考えます。
第5巻	聞くことを教える	
第6巻	話すことを教える	
第7巻	読むことを教える	
第8巻	書くことを教える	
第9巻	初級を教える	各レベルの教え方について、総合的に考えます。
第10巻	中・上級を教える	
第11巻	日本事情・日本文化を教える	
第12巻	学習を評価する	
第13巻	教え方を改善する	
第14巻	教材開発	

■この巻の目的

この巻の目的は、主に海外の日本語教育の現場で、日本事情や日本文化をどのように扱ったらいいか、具体的に考えることです。

海外で日本語を教えている先生方の中には、「日本事情や日本文化は専門ではないから教えられない」「日本事情や日本文化の範囲が広すぎて、何を教えたらいいのかわからない」と言う人が少なくありません。確かに、海外の現場では、教師も学習者も、日常生活で日本と接することがほとんどありません。そして、教師は、授業で扱う内容を、自分で日本事情や日本文化の中から、切り取らなければなりません。特に日本からの情報があまりない国や日本人が少ない地域では、教師が教える日本が学習者の日本観や日本人観を決めることになりますから、責任も感じるでしょう。それでも、やはり、日本語教育の中で、日本事情や日本文化を扱うことには意義があります。そして、この巻を読めば、「何を教えるか」より「どう教えるか」が大切で、海外の現場でもノンネイティブの先生方でも、扱えることがいろいろあることがわかると思います。

また、「(日本語を教えるときに)日本のことも教えたいけれど、時間が足りない」「教科書以外のことを教える機会がない」と言う先生方もたくさんいます。きっと、日本語のカリキュラムや進度が決まっていて、日本事情や日本文化を教えるために、ゆっくり別の時間を取ることができないコースも多いでしょう。でも、わざわざたくさん時間を使わなくても、日本語を教えている授業の中に取り込んで、できることもあります。

この巻は、このようなさまざまな理由で、日本事情や日本文化を教えることを少したのらってきた先生方にも、学習者といっしょに考えながら、楽しんで教えることができる自信を持っていただきたいと考えて制作しました。もちろん、日本事情や日本文化の扱い方にはいろいろな考え方もいろいろな方法もありますが、この巻では、特に、ノンネイティブの先生方が日本から離れた海外の現場で教える状況を前提にしているので、次の2つの点を大きな柱にしています。

①海外では、日本在住の学習者に対する授業と違って、教師が提示する資料や情報が情報源として大きな位置を占めることが多い。しかし、その際、できるだけ一方的な知識の伝達やステレオタイプの押し付けにならないように、学習者が自分で見つけたり考えたりすることを大切にする。

②扱う内容については、学習者の興味や関心を大切にしながら、バランスを考える必要がある。伝統文化も大切ではあるが、学習者が自分や自分のまわりの人たちと比べながら考えられるように、学習者の興味や関心が高い現代の文化も同様に扱う。

■この巻の構成

1. 全体の構成

本書の構成は、以下のようになっています。

1. 今までの授業をふり返る	今まで、日本事情や日本文化について、どのような授業でどのようなことを教えてきたか、ふり返ります。
2. 日本事情や日本文化の扱い方を考える	海外の現場で日本事情や日本文化をどのように扱ったらいいか、いくつかの国の例を見ながら考えます。
3. 内容を考える	海外の現場で、日本語の授業をしながら日本事情や日本文化を教えるときの内容を考えます。そのために、日本語の教科書にある日本事情や日本文化を拾い出して整理します。
4. 素材を考える	日本事情や日本文化を教えるときに使える素材を取り上げます。学習者に興味や関心を持たせ、彼らの理解を助けるような素材を考えます。
5. 「日本事情・日本文化」を意識した授業を計画する	日本事情や日本文化を扱うことができる授業例を紹介します。
6. 学習者が学んだことを確認する	日本事情や日本文化について学んだことの確認や評価について、例を紹介します。

2. 各章の構成

この巻のそれぞれの章には、次のような部分があります。

ふり返りましょう

自分自身の経験や教え方をふり返ります。

考えましょう

実際にいろいろな活動や授業の例を見ながら、それが、日本事情や日本文化を教える上でどのような意味を持っているのかを考えます。

整理しましょう

考えたこと、学んだことをもう一度整理して、その目的や意味を再確認し、今後の授業に生かしていけるようにします。

3.【質問】

この巻は、日本語を教えることを専門とする日本語教師が授業で展開できる日本事情や日本文化を扱っています。そのため、今まで考えたことがないような質問も多いと思います。それぞれの質問が、どのような意図を持っているのか、何を考えたらいいのか、よくわからないこともあるかもしれません。そのようなときは、「解答・解説編」を見てください。考え方の方向性やヒントが書かれています。そして、あらためて、自分はどう思うのか、今までなんとなく思ってきたこととどこが同じなのか、どこが違うのか、考えてみてください。

目次
もくじ

1 今までの授業をふり返る ……………………………… 2
 1-1.「日本事情」や「日本文化」の授業 ……………………… 2
 1-2.「日本語」の授業の中で扱っている日本事情や日本文化 ……………… 3

2 日本事情や日本文化の扱い方を考える ……………… 8

3 内容を考える―初級の教科書の分析― ……………… 20
 3-1. 文化に関するコラムや紹介文など ……………………… 20
 3-2. 本文中の「日本に関係あることば」 …………………… 21
 3-3. 本文中の「日常生活や行動を表すことば」 …………… 23
 3-4. ことば以外のもの ……………………………………… 24
 3-5. まとめ ……………………………………………………… 27

4 素材を考える ………………………………………………… 28
 4-1. 日本に触れる環境 ………………………………………… 28
 4-2. 写真を使う ………………………………………………… 29
 4-3. 映像（動画）を使う ……………………………………… 34
 4-4. データを使う ……………………………………………… 34
 4-5.「レアリア」を使う ……………………………………… 37
 4-6. 日本人や日本をよく知っている人を招く …………… 40

5 「日本事情・日本文化」を意識した授業を計画する … 42
 5-1. 日本語の授業の中に日本事情・日本文化を取り込む … 42
 5-2. 日本事情・日本文化を教えるための独立した授業を行う … 56

6 学習者が学んだことを確認する ……………………………… 66
   6-1. ポートフォリオ ……………………………………………… 67
   6-2. ルーブリック ………………………………………………… 71

解答・解説編 ………………………………………………………… 75

【参考文献】 ………………………………………………………… 96

1 今までの授業をふり返る

　今まで、みなさんやみなさんが教えている日本語のコースでは、いつ、どのように日本事情や日本文化を取り上げてきましたか。ふり返ってみましょう。

1-1.「日本事情」や「日本文化」の授業

ふり返りましょう

【質問 1】
みなさんが教えている機関では、日本事情や日本文化を教える独立した科目がありますか。あったら、下の表のように整理してください。

＜ある国の大学で行われている授業の例＞

(1) 科目の名前	「日本事情」
(2) 時期	大学3年生後期
(3) 全体時間数	90分×12回
(4) 教えている先生	⦅ノンネイティブの先生⦆・ ネイティブの先生
(5) 使用言語	教師と学習者の共通語（母語など）・ 日本語 ・⦅両方⦆
(6) 使用教材や教具 ＜機関やコースが使っている教材＞　大学のオリジナル教材 ＜教師が準備している教材＞　できるだけ、写真などを使っている
(7) 内容 ＜トピック＞　祭り、伝統芸能、教育、年中行事、食文化 ＜トピックや内容の決め方、教え方の特徴など＞　・教科書にあるものを教えている　・コースの最後の「プロジェクトワーク」で、勉強したトピックの中から興味があることについて、グループごとに調べて発表させている

(1) 科目の名前	
(2) 時期	
(3) 全体時間数	
(4) 教えている先生	ノンネイティブの先生　・　ネイティブの先生
(5) 使用言語	教師と学習者の共通語（母語など）・日本語・両方
(6) 使用教材や教具　 　＜機関やコースが使っている教材＞ 　＜教師が準備している教材＞	
(7) 内容 　＜トピック＞ 　＜トピックや内容の決め方、教え方の特徴など＞	

【質問2】

【質問1】で整理した表を見直したり、まわりの人と比べたりしながら、気づいたことを書き出してみましょう。

1-2.「日本語」の授業の中で扱っている日本事情や日本文化

ふり返りましょう

【質問3】

みなさんの日本語の授業の中では、日本事情や日本文化を、いつ、どのように取り上げていますか。次の表のように整理してください。

<例1>

(1) 科目の名前	「日本語Ⅰ」（初級）
(2) 教えている先生	（ノンネイティブの先生）・ ネイティブの先生
(3) 取り上げるとき	(✓) 教科書に出てくることばを教えるとき (✓) 会話の場面や人間関係を説明するとき (　) 読解文の内容を説明するとき (✓) 文化について母語などで書かれたコラムを説明するとき (　) その他（　　　　　　　　　　　　　　　　　　　　）
(4) 使用言語	（教師と学習者の共通語（母語など））・ 日本語 ・ 両方
(5) 使用教材や教具	ときどき、写真を見せる
(6) 問題点	古い写真しかない

<例2>

(1) 科目の名前	「日本語読解」（中上級）
(2) 教えている先生	（ノンネイティブの先生）・ ネイティブの先生
(3) 取り上げるとき	(✓) 教科書に出てくることばを教えるとき (　) 会話の場面や人間関係を説明するとき (✓) 読解文の内容を説明するとき (　) 文化について母語などで書かれたコラムを説明するとき (　) その他（　　　　　　　　　　　　　　　　　　　　）
(4) 使用言語	教師と学習者の共通語（母語など）・ 日本語 ・（両方）
(5) 使用教材や教具	読解の教科書、インターネットから取った情報
(6) 問題点	適当なWEBサイトが見つからないことがある

(1) 科目の名前	
(2) 教えている先生	ノンネイティブの先生　・　ネイティブの先生
(3) 取り上げるとき	（　　）　教科書に出てくることばを教えるとき （　　）　会話の場面や人間関係を説明するとき （　　）　読解文の内容を説明するとき （　　）　文化について母語などで書かれたコラムを説明するとき （　　）　その他（　　　　　　　　　　　　　　　　　）
(4) 使用言語	教師と学習者の共通語（母語など）・日本語・両方
(5) 使用教材や教具	
(6) 問題点	

　ここまで、みなさんやみなさんの機関では、日本事情や日本文化をどのように扱ってきたか、整理しました。特に海外の学習者にとって、（もちろん、個人的にいろいろなメディアから情報を得ている学習者もいますが）授業の中で与えられる情報や内容が、「日本のイメージ」を作っていることが多いですから、教師が、学習者に何をどのように伝えているか、あらためて意識することが必要です。

【質問4】

みなさんのコースでは、日本事情や日本文化の何を教えていますか。どのようなことが多く、どのようなことが少ないでしょうか。【質問1】～【質問3】でふり返った内容を次の図を使って、整理してみましょう。
（図1にないものがあったら、書き足してもいいです。）

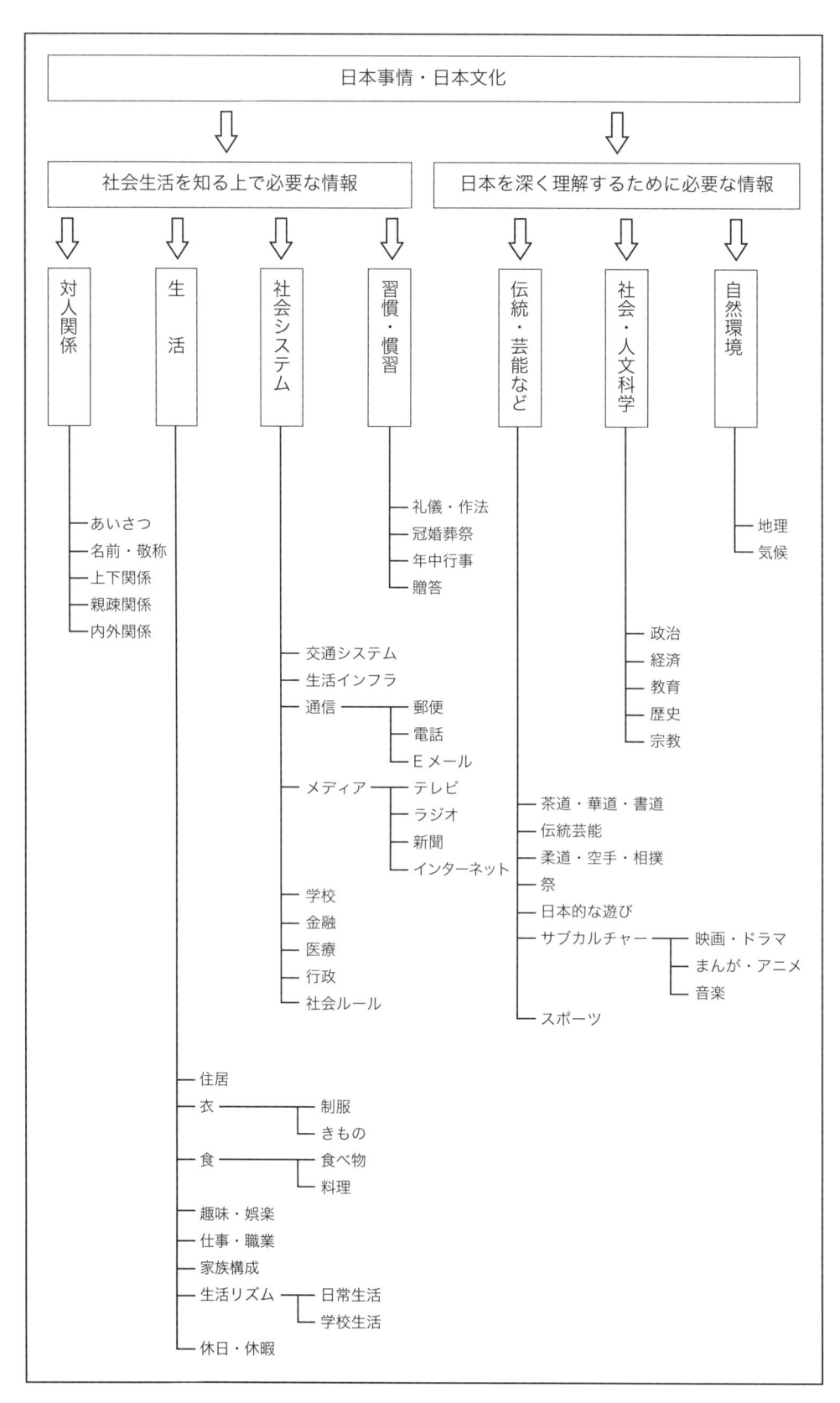

```
                        日本事情・日本文化
                              ⇩                         ⇩
        社会生活を知る上で必要な情報          日本を深く理解するために必要な情報
         ⇩     ⇩     ⇩     ⇩            ⇩     ⇩     ⇩
        対    生    社    習            伝    社    自
        人    活    会    慣            統    会    然
        関          シ    ・            ・    ・    環
        係          ス    慣            芸    人    境
                    テ    習            能    文
                    ム                  な    科
                                        ど    学
         ├あいさつ                                        ├地理
         ├名前・敬称                                      └気候
         ├上下関係              ├礼儀・作法
         ├親疎関係              ├冠婚葬祭
         └内外関係              ├年中行事
                                └贈答
                                                   ├政治
                                                   ├経済
                                                   ├教育
                    ├交通システム                    ├歴史
                    ├生活インフラ                    └宗教
                    ├通信 ──┬郵便
                            ├電話
                            └Eメール
                    ├メディア ─┬テレビ    ├茶道・華道・書道
                                ├ラジオ    ├伝統芸能
                                ├新聞      ├柔道・空手・相撲
                                └インターネット ├祭
                    ├学校                    ├日本的な遊び
                    ├金融                    ├サブカルチャー ─┬映画・ドラマ
                    ├医療                                      ├まんが・アニメ
                    ├行政                                      └音楽
                    └社会ルール              └スポーツ

         ├住居
         ├衣 ──┬制服
                 └きもの
         ├食 ──┬食べ物
                 └料理
         ├趣味・娯楽
         ├仕事・職業
         ├家族構成
         ├生活リズム ─┬日常生活
                       └学校生活
         └休日・休暇
```

図1：日本事情・日本文化のトピック

【質問5】

みなさんのコースの学習者は、【質問4】で整理したような勉強をした後、日本についてどのような知識や情報を持ちますか。また、どのようなイメージを持つと思いますか。たとえば、次のようなことばを使って、学習者の頭の中のイメージを考えてみましょう。

○日本は＿＿＿＿＿＿＿＿＿＿＿＿＿＿＿＿だ。
○日本人は＿＿＿＿＿＿＿＿＿＿＿＿＿＿＿だ。
○日本人は　（よく）＿＿＿＿＿＿＿＿＿＿＿＿＿＿する。
○日本人には＿＿＿＿＿＿＿＿＿＿＿＿＿＿が有名だ／大切だ。

　【質問4】や【質問5】のように考えてみると、みなさんのコースで取り上げられてきた日本事情や日本文化の内容をふり返ることができます。かたよりはありませんでしたか。もちろん、コース上のいろいろな制約から、すべての日本事情や日本文化を扱うことはできないでしょう。そして、教師もすべての内容を知っているわけではありません。けれども、授業やコースで扱っている日本事情や日本文化が、全体としてどのようなものか、学習者に何を教えて、何を教えていないのか、今の内容や教え方でいいのか、十分なのか、問題があるのか、教師が意識することは大切です。

　特に、初級の授業で日本事情や日本文化の何をどのように扱うかは、実は、学習者の日本語学習の姿勢を決める大切なポイントです。日本事情や日本文化について教える独立した科目がある場合や、中級以上のクラスで日本のことを題材に取り上げている場合は、教師も学習者も「何を扱っているか」ということをはっきり意識しています。でも、初級の日本語の授業の中で触れる日本事情や日本文化については、はっきり意識しないで教えたり、学んだりしていることが多くあります。

　初級から上級のコースまで、いろいろな授業の中で、日本語だけでなく、日本事情や日本文化についても、扱っている内容を意識して、それがコースの目標や学習者の関心に合っているかどうか、確認していかなければなりません。

2 日本事情や日本文化の扱い方を考える

　第1章では、みなさんが教えているコースで、今までどのような日本事情や日本文化を扱ってきたか、整理しました。日本事情や日本文化の独立した授業だけでなく、ふつうの日本語の授業の中で触れてきたことも含めて、学習者がたくさん教えられていること、あまり教えられていないことがわかったと思います。

　では、みなさんのコースや授業には、どのようなことを加えたりどのような点を工夫したりすることが考えられるでしょうか。それを考えるために、まず、日本語教育で日本事情や日本文化を扱う目標や考え方を確認しておきましょう。

ふり返りましょう

【質問6】

みなさんが教えているコースの学習者の進路や日本語の学習目的について、次の点を確認してみましょう。
①日本で長期滞在する（留学する、働く）人は、何％ぐらいいますか。
②自国の日本の会社で働く人は、何％ぐらいいますか。
③観光案内などで、日本人とよく接する仕事をする人は、何％ぐらいいますか。
④日本へ旅行する人は、何％ぐらいいますか。
⑤日本人とときどき会って話をする人は、何％ぐらいいますか。

　学習者の日本語学習の目的は多様です。すべての学習者が日本に行ったり日本に住んだりするために日本語を勉強しているわけではありません。また、日本語を使う環境にいない学習者はたくさんいるでしょう。そして、特に目的がないまま、日本語を勉強している学習者も少なくないと思います。日本に行ったり日本に住んだりする計画がある学習者にとっては、日本事情や日本文化の学習も、その実現に直接つなげて考えることができます。そのような学習者は、授業でも授業以外でもたくさんの情報を積極的に取っていると思います。では、そうではない学習者にとって、日本事情や日本文化を学ぶ意味は何なのでしょうか。

ここでは、それを考える参考にするために、世界のいろいろな国で、「日本の文化を教える」目的やそのために扱う内容を、どのように考えているのか、3つの例を見てみましょう。

(1) 韓国の例
『초·중등학교 교육과정 교육인적자원부 고시 제2007-79호 (2007년 2월 28일)』
(初·中等学校教育課程 教育人的資源部告示第2007-79号 (2007年2月28日))
別冊14より＊下に書いた表や引用は、筆者が訳したものです。

　韓国の高校の教育課程では、それまでも「文化理解」が日本語教育の目標の1つでしたが、2012年から施行された教育課程では、それがもっとはっきり書かれています。以前の教育課程と2012年の教育課程の目次を比べてみると、次のようになります。

＊その後、2015年に改正された教育課程では、文化的な内容は、①日本の簡略な概観、②言語文化、③非言語文化、④日常生活の文化、⑤大衆文化、と記述されていて、それぞれの学習要素、達成基準、教授・学習方法、評価方法などが、さらに具体的に書かれています。

表1：韓国の以前の教育課程と2012年からの教育課程

	以前の教育課程	2012年からの教育課程
目標	・（「聞く」学習の目標） ・（「話す」学習の目標） ・（「読む」学習の目標） ・（「書く」学習の目標） ・（「情報」学習の目標） ・（「文化」学習の目標）	1）言語技能 (1) 聞く 　　　　　　(2) 話す 　　　　　　(3) 読む 　　　　　　(4) 書く 2）文化 3）態度
内容	1）意思疎通活動： 　　聞く、話す、読む、書く 2）言語材料： 　　意思疎通機能、発音、文字、 　　語彙、文法、文体、文化	1）言語的内容： 　　言語技能、言語材料 2）文化的内容： 　　言語行動文化、日常生活文化、 　　伝統文化・大衆文化

以前は、「文化」は日本語学習、つまりコミュニケーション能力の育成のため、目標や言語材料の1項目として入っていました。一方、2012年の教育課程では、日本語の学習と並んで書かれるようになったことがわかります。そして、この文化の学習目標として、次の4点があげられています。

> ①日本人の基本的な言語行動文化が理解できる。
> ②日本人の基本的な日常生活文化が理解できる。
> ③日本の重要な伝統文化と大衆文化が理解できる。
> ④韓日両国文化の共通点と相違点を理解して、文化の多様性が認識できる。

　この目標では、「伝統文化」だけでなく、「日常生活文化」や「大衆文化」も大切にされていることがわかります。そして、「日本の文化を理解する」だけでなく、「文化の多様性を認識できる」ことが必要だと考えられています。

　このような学習目標を達成するための教授方法は、以下のように書かれています。

> ①韓国の文化と日本文化の共通点と相違点を学習者自らが発見できるようにする。
> ②固定観念や知識中心の学習ではなく、文化の多様性を発見することができるようにする。
> ③学習者が能動的に参加できるように、授業で扱われる文化と関連した内容を個人別またはグループ別に調査して、発表するようにする。
> ④文化学習は、理解度を高めるために、絵、写真、動画など、視聴覚資料を積極的に活用する。
> ⑤文化内容を説明するとき、必要な場合には韓国語を使うものの、文化内容のキーワードはできるだけ日本語で認知するようにする。

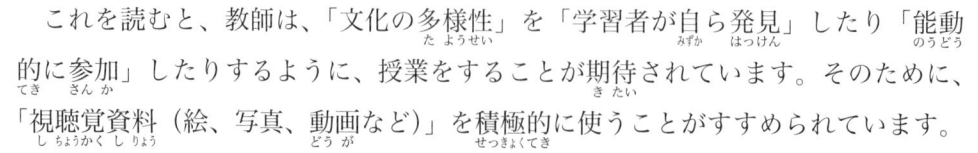

　これを読むと、教師は、「文化の多様性」を「学習者が自ら発見」したり「能動的に参加」したりするように、授業をすることが期待されています。そのために、「視聴覚資料（絵、写真、動画など）」を積極的に使うことがすすめられています。
　つまり、韓国の高校における日本語の授業では、伝統文化だけではなく日常生活文化や大衆文化も扱い、教師が一方的に教えるのではなく、視聴覚資料を使いなが

ら、学習者が自ら発見するような活動が大切にされるということがわかります。

(2) オーストラリアの例

"Intercultural Language Teaching and Learning"（異文化間言語教育／学習）より

＊以下の日本語訳は、「オーストラリアの初中等教育における外国語教育の現在と国際交流基金シドニー日本文化センターの日本語教育支援」『国際交流基金日本語教育紀要』第4号を参考にしました。

オーストラリアでは、2005年に"National Statement for Languages Education in Australian Schools – National Plan for Languages Education in Australian Schools 2005-2008"（『オーストラリアの学校での外国語教育に関する国家声明書』）を発表し、言語教育の基本方針を示しました。その中に書かれている外国語学習の意義は次の6つです。

---

①学習者を知的に、教育的に、文化的に高めることができる。
②学習者が文化を越えてコミュニケーションできるようになる。
③コミュニケーションと理解を通して、社会とのつながりに寄与できる。
④コミュニティに存在する言語的文化的リソースを、より高めることができる。
⑤オーストラリアの戦略的な経済、国際発達に貢献できる。
⑥個人の雇用や職歴を高めることができる。

つまり、学校教育の中での外国語学習は、外国語学習だけが目的ではなく、外国語学習によって、子どもの知的、教育的、文化的成長をうながし（①）、コミュニケーション能力の向上や異文化理解につなげる（②、③、④）必要があると考えられています。そして、その力は、将来、自分やオーストラリアの社会のために使う（⑤、⑥）と書かれています。

この考え方を実現するために、オーストラリア政府は、ILTL（Intercultural Language Teaching and Learning）という具体的な方法論を示して、文化学習、言語学習、言語学的学習を統合して教えようと提案しています。そのために、授業では、「本物の素材」（Authentic materials）を使うことが強く望まれています。そして、授業をするときは、次の5つの原則を行うことが求められています。

①言語的、社会文化的な事象を意識化するためのさまざまな活動的タスクを行う。　　　　　　　　　　　　　　　　　　（Active construction）

②学習者がすでに持っていた知識と新たに学んだ知識、違う教科で学んだ知識などを、学習者がつなぎ合わせるようにする。　（Making connection）

③異なる言語間、文化間のやり取りが促進されるタスクを行う。教師はさまざまな場面のさまざまな例、さまざまな考え方や行動を示し、学習者が自分でタスクを遂行できるきっかけ（Scaffolding）を作る。
　　　　　　　　　　　　　　　　　　　　　　　　　　　（Social interaction）

④自言語や自文化と学習言語や学習文化の類似点や相違点についての気づきや議論から、メタレベルでの深い考察をうながす。さらに、自分の学習方法、態度、信念、価値観も批判的に分析させる。　　　　（Reflection）

⑤学習者が、自分が目的としているコミュニケーションが成功したか、目標としている文化間理解を深めることができたか、学習者自身が責任を引き受ける態度を養う。　　　　　　　　　　　　　　　（Responsibility）

このような過程の中で、相互理解の基礎を養うことが、ILTLの目的の1つです。学習者が、自分の言語や文化に基づく"The first place"（第1地点）と、目標言語やその文化に基づく"The second place"（第2地点）を理解することによってその中間にある"The third place"（第3地点）で、自分のアイデンティティを維持しながら、他文化の人と円滑で快適なコミュニケーションができることが目指されています。

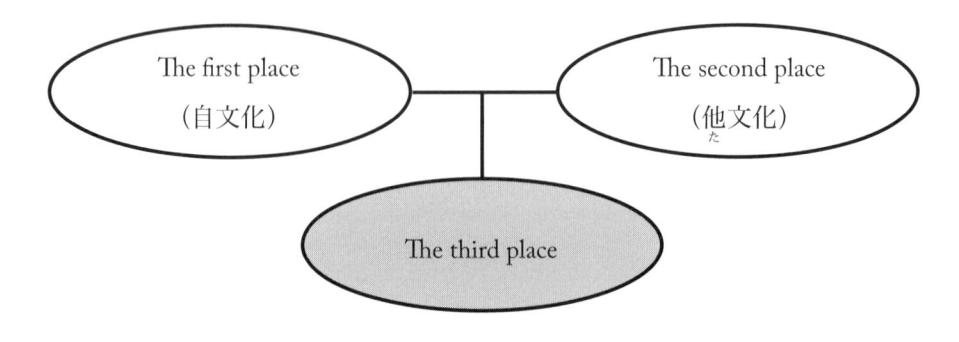

```
   ┌─────────────────┐         ┌─────────────────┐
   │  The first place │         │ The second place │
   │    （自文化）     │─────────│    （他文化）     │
   └─────────────────┘         └─────────────────┘
                     │       │
                  ┌──────────────┐
                  │ The third place │
                  └──────────────┘
```

このILTLの考え方を取り入れた授業については、ILTLP（Intercultural Language Teaching and Learning in Practice）というプロジェクトで、教師同士の情報交換が行われています。授業では、アクティビティやプロジェクトワークが重視されていて、「本物の素材」を使用して、上に述べた5つの原則に配慮しています。

表2：ILTLの考え方を取り入れた授業の例

目的　①カタカナに慣れる。 　　　②オーストラリアでポピュラーな食べ物についてカタカナで書けるようになる。 　　　③日本で人気のある洋食について知る。 　　　④日本という状況の中でのオーストラリア料理について考える。
授業の流れ 1．フラッシュカードや絵、写真などを使いカタカナの練習をする。特に英語をカタカナにする場合、発音がどう変わりどのように表記されるかに注目させる。 2．日本語で書かれた実際のメニューを見せ、そこにカタカナで書かれている食べ物は英語で何なのかを考えさせる。 3．そのメニューはどんな店のメニューか、お客さんはどんな人が多いかなど、メニューの内容やデザインから考えられることを話し合う。 4．オーストラリアのメニューと日本のメニューの違い、オーストラリアのカフェ／レストランと日本のそれとの違いについて、そのメニューから読み取れることを話し合う。 5．メニューに書かれている中身を確認する。学生がその料理がどのようなものか分からない場合は、インターネットなどで調べさせる。また中身を確認した後で、好きな料理は何か、嫌いな料理は何かについて話し合わせる。 6．学生はグループに分かれ、以下のプロジェクト活動を行う。 　「東京にあるオーストラリアレストランのメニューを作りましょう。日本人が好きそうなメニューを考えてください。」 7．メニューができたらそれをもとにレストランを舞台としたロールプレイを行う。

「オーストラリアの初中等教育における外国語教育の現在と
国際交流基金シドニー日本文化センターの日本語教育支援」
『国際交流基金日本語教育紀要』第4号 p.121

考えましょう

【質問7】
前のページの表2の授業例では、
(1) どのような「本物の素材」が使われていますか。
(2) どのような「タスク」（Active construction）が行われていますか。
(3) どのような「気づき」（Reflection）をうながしていますか。

　このような活動で気をつけなければならないことは、学習者が、形だけの折衷案を作ったり、単に「変わったもの」「めずらしいもの」を作ることに一生懸命になったりしないように気をつけることです。学習者にも、どうして自分のアイディアがいいのか、どこが、それまでの「気づき」を生かしているのか、できるだけ説明させる必要があります。教師も、「一見かっこいいもの」「技術的に優れているもの」に引きずられず、学習者が文化やそれを形作っている人々について、真剣に考えていることを評価しなければなりません。結果として出されたアイディアより、それを学習者が考えるプロセスを大切にしましょう。

(3) 米国の例

"Standards for Foreign Language Learning in the 21st Century"（『21世紀の外国語学習スタンダーズ』）より

＊以下の日本語訳は、『21世紀の外国語学習スタンダーズ』日本語版（国際交流基金日本語国際センター）を参考にしました。

　米国では、1999年、21世紀における外国語教育の方向を示すために、"Standards for Foreign Language Learning in the 21st Century"を発行しました。この中では、次のような5つの領域（5つのC）を外国語教育の目標にする必要がある、と述べられています。

> (1) コミュニケーション（Communication）
> (2) 文化（Cultures）
> (3) コネクション（Connections）
> (4) 比較（Comparisons）
> (5) コミュニティ（Communities）

これを日本語学習にあてはめると、

(1) 日本語でコミュニケーションを行う。
(2) 日本文化を理解する。
(3) （日本語を用いて）ほかの教科内容に関連づけ、情報を得る。
(4) 日本語と母語を比較して、言語と文化への洞察力を養う。
(5) 国内・国外において、日本語を使う文化・社会に参加する。

となります。そして、このうち、(2)については、「日本文化にはユニークで興味深い面が多い。日本語学習者は伝統文化とモダン文化の両方を学ぶ必要がある。」と書かれています。

さらに、文化を次の図のように整理して考え、文化理解のための方法を提案しています。

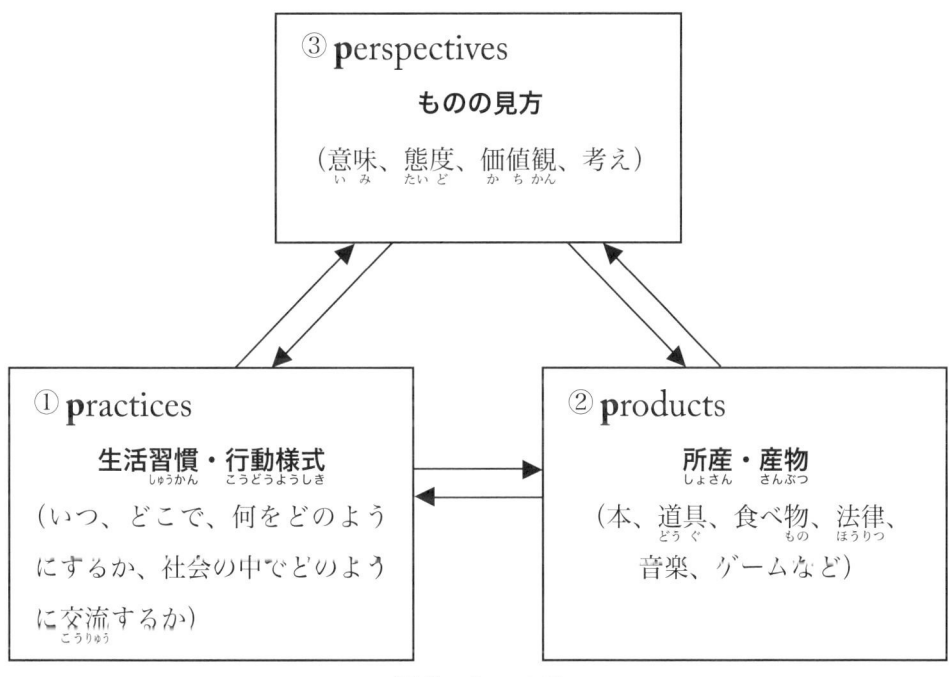

③ perspectives
ものの見方
（意味、態度、価値観、考え）

① practices
生活習慣・行動様式
（いつ、どこで、何をどのようにするか、社会の中でどのように交流するか）

② products
所産・産物
（本、道具、食べ物、法律、音楽、ゲームなど）

図2：3つのP

ある文化には、「人々の生活習慣や行動様式（practices）」（①）があり、「文化的所産・産物（products）」（②）があります。そして、それぞれ、その背後にある「人々のものの見方や考え方、価値観などの背景（perspectives）」（③）と密接に関係しています。ですから、文化を理解する授業の中でも、私たちは、まず、目に見える①や②をしっかり観察したり、できれば実際にやってみたりすることが必要です。そして、そのことについて、分析したり討論したりして、背後にある③について理解しようとします。つまり、①、②、③という「3つのP」（3つの面）から、文化という領域を考えるのです。

考えましょう

【質問8】

図2の①、②、③の具体的な例を、まずあなたの国で考えましょう。たとえば、あなたの国の店やレストランについて、

　　・そこで起こっていること、人がやっていること
　　・そこにあるもの

を整理してみましょう。
そして、そのような習慣や行動、物などから、あなたの国やあなたの国の人たちのどのような背景、考え方がわかるか、考えてみてください。

【質問9】

次の2枚の写真は、日本の学校のお昼ごはんの様子です。この写真を見て、図2の①と②を整理してください。そして、みなさんの学校のお昼ごはんと比べて、共通点と相違点を探してみましょう。

できたら、まわりの人とも話し合ってみましょう。自分が気づいていなかったこと、自分が思っていなかったことがありますか。

上：「みんなの教材サイト」（国際交流基金）より
下：「であい」（国際文化フォーラム）より

【質問10】

【質問9】で出した①や②から、どのような背景（③）が考えられるでしょうか。この写真の人たちとみなさんやみなさんの学習者は、どのような点で似た考え方をしているでしょうか。どのような点で違う考え方をしているのでしょうか。

整理しましょう

ここまでに紹介した3つの考え方に共通しているのは、
(1) 日常生活や言語行動が大切に扱われている
(2) 授業では、視聴覚資料や本物の日本のものを使う
(3) 教師が説明して教えることより、学習者が文化の多様性に自分で気づいたり考えたりすることを大切にする

という点です。

「日常生活」や「日常的な言語行動」は、「small c」や「サブカルチャー」という言い方で表されることもありますが、「伝統文化」と同じように大切な文化です。もちろん、「歌舞伎」や「茶道」のような伝統的な文化の中でも、日本の歴史や日本人の考え方など、文化の背景にあるものを学ぶことができます。けれども、日本の伝統文化は、「自分の国とは違うもの」「めずらしいもの」としてとらえられることが多いので、注意が必要です。特に日本語の学習を始めた若い学習者などにとっては、もっと日常的な日本の生活や日本人の行動のほうが、自分の毎日の生活や自分の身近な人たちと比べながら観察したり考えたりすることができるでしょう。

そして、学習者が自分の目で見て、自分で考えること、つまり文化について能動的に考えることは、日本語学習の目的が日本への留学や日本での生活のためではない学習者にも、特に次のような点で役に立つでしょう。

(1) 自分とは異なる多様な文化や考え方の存在に気づき、視野を広げることができる。また、自分や自分の文化をふり返ることもできる。そして、将来、新しいものや自分と違うものと接したときの姿勢を養うことができる。

(2) 日本語の学習と日本事情や日本文化の学習をいっしょに考えることによって、言語と文化がつながっていることに気づくことができる。

【質問11】
みなさんの国または州などの外国語教育方針には、文化の学習について、どのように書かれているでしょうか。また、みなさんの機関やコースでは、今までどのような文化を教えるべきだと考えられてきたでしょうか。
この章で紹介した考え方と似ているところ、違うところを確認してみましょう。

　みなさんは、この章で紹介した3つの例をどう思いましたか。共感できるところはありますか。「参考になった」「取り入れたい」と思ったことは、どのようなところでしょうか。第3章、第4章では、ここで整理した考え方を授業に取り入れるためには、どのような準備をして、どのような活動を行ったらいいのか、具体的な例を見ながら、考えていきましょう。

3 内容を考える―初級の教科書の分析―

　この章からは、第2章で見たような考え方を授業にどうやって取り入れたらいいか、具体的に考えていきます。
　もし、日本事情や日本文化を教えるために独立した授業があったり、長い時間を使ったりすることができる場合は、6ページの図1などを使って、もう一度カリキュラムを見直すことができるでしょう。学習者の興味や関心も大切にして、伝統文化だけにかたよらず、日常生活も含めたいろいろなトピックを入れたシラバスを作成し、学習者が「自分で発見する」「自分で考える」授業を計画します。（具体的な授業例については、第5章で紹介します。）
　けれども、海外の多くの、特に初級のコースでは、日本語学習に使わなければならない時間が多く、文化の学習だけの時間を別に取って、ゆっくり教えることは難しいと思います。ですから、まず、第3章では、日本語の授業をしながら、その時間の中で少しでも日本事情や日本文化を扱っていく場合、いつ、どのようなものを取り上げたらいいか、日本語の初級の教科書を分析しながら、考えてみましょう。

　初級の授業では、文字や発音、ことば、文型など、日本語の基本的な知識とその使い方を理解することが優先される場合が多いです。けれども、初級の教科書の中にも、いろいろな日本事情や文化が入っています。

3-1. 文化に関するコラムや紹介文など

　特に海外で開発された教科書には、文化に関するコラムなどをのせているものが多くあります。
　次の例は、アメリカで大学生用に開発された教科書です。英語で説明した文化コラムが各課にあります。

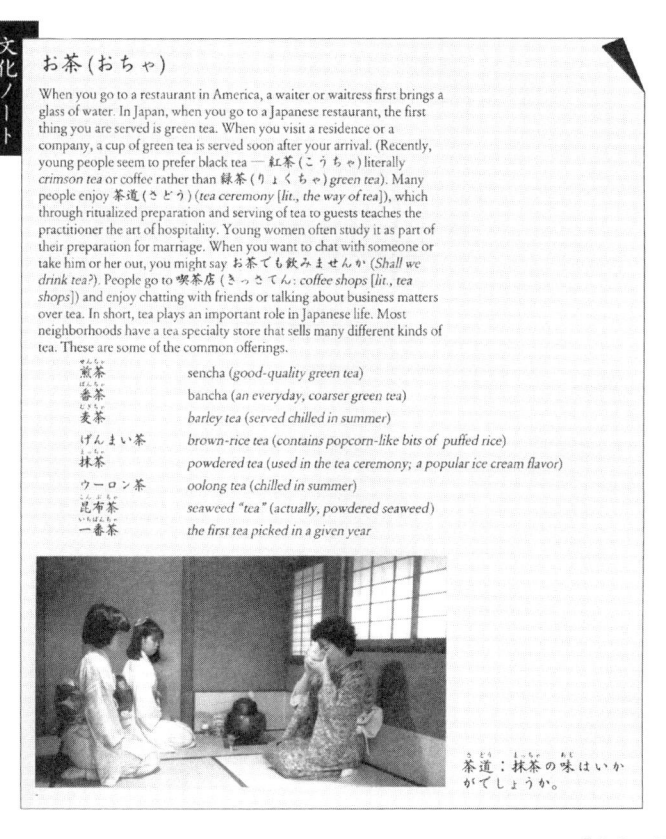

> 文化ノート
>
> お茶（おちゃ）
>
> When you go to a restaurant in America, a waiter or waitress first brings a glass of water. In Japan, when you go to a Japanese restaurant, the first thing you are served is green tea. When you visit a residence or a company, a cup of green tea is served soon after your arrival. (Recently, young people seem to prefer black tea — 紅茶（こうちゃ）literally *crimson tea* or coffee rather than 緑茶（りょくちゃ）*green tea*). Many people enjoy 茶道（さどう）(*tea ceremony* [*lit., the way of tea*]), which through ritualized preparation and serving of tea to guests teaches the practitioner the art of hospitality. Young women often study it as part of their preparation for marriage. When you want to chat with someone or take him or her out, you might say お茶でも飲みませんか (*Shall we drink tea?*). People go to 喫茶店（きっさてん: *coffee shops* [*lit., tea shops*]) and enjoy chatting with friends or talking about business matters over tea. In short, tea plays an important role in Japanese life. Most neighborhoods have a tea specialty store that sells many different kinds of tea. These are some of the common offerings.
>
> | | |
> |---|---|
> | 煎茶（せんちゃ） | sencha (good-quality green tea) |
> | 番茶（ばんちゃ） | bancha (an everyday, coarser green tea) |
> | 麦茶（むぎちゃ） | barley tea (served chilled in summer) |
> | げんまい茶 | brown-rice tea (contains popcorn-like bits of puffed rice) |
> | 抹茶（まっちゃ） | powdered tea (used in the tea ceremony; a popular ice cream flavor) |
> | ウーロン茶 | oolong tea (chilled in summer) |
> | 昆布茶（こんぶちゃ） | seaweed "tea" (actually, powdered seaweed) |
> | 一番茶（いちばんちゃ） | the first tea picked in a given year |
>
> 茶道（さどう）：抹茶（まっちゃ）の味（あじ）はいかがでしょうか。

『ようこそ』（McGraw-Hill）p.353

【質問12】

みなさんの教科書には、文化に関するコラムや解説がありますか。そこではどのような内容を扱っていますか。

3-2. 本文中の「日本に関係あることば」

次に、教科書の本文中に出ている「日本に関係あることば」を調べてみましょう。会話、例文、練習問題など、すべての部分をよく見てください。

【質問13】

初級の教科書の例として、『みんなの日本語初級Ⅰ』（スリーエーネットワーク）を見てみましょう。次のページの表3は、第5課〜第14課の中から、日本に関係あることばを書き出したものです。どのようなことばが多いですか。分類してみましょう。

また、みなさんの授業では、このようなことばをすべて教えますか。どのように教えていますか。

表3:『みんなの日本語初級Ⅰ』の中の日本に関係あることば

第5課	京都、奈良、東京、広島、九州、北海道、大阪城、甲子園、新幹線、「普通」、〜円
第6課	神戸、京都、東京、大阪(デパート)、大阪城、花見
第7課	京都、大阪城、新幹線、はし、年賀状
第8課	大阪、長崎、東京(駅)、神戸(病院)、奈良公園、金閣寺、富士山、「七人の侍」(映画)、桜、〜円
第9課	京都、神戸、日本料理、歌舞伎
第10課	千葉県、東京ディズニーランド
第11課	大阪、東京、鹿児島、新幹線、〜円
第12課	北海道、九州、京都、東京、大阪、奈良公園、日本料理、てんぷら、(日本の)お祭り、祇園祭、歌舞伎、生け花、もみじ
第13課	沖縄、神戸、北海道、京都、奈良、横浜、日本料理、てんぷら、てんぷら定食、牛どん、すき焼き、生け花、お花見、〜円

【質問14】

みなさんの教科書の中から10課分ぐらいを選んで、表3と同じように日本に関係あることばを書き出してみましょう。

書き出したことばには特徴がありますか。表3の『みんなの日本語初級Ⅰ』の例とも比べながら、考えてみましょう。

みなさんは、そのことばをどのくらい教えていますか。どのことばも同じように大切でしょうか。

初級の教科書の日本に関することばには、教科書を作った人の文化に対する考え方が表れています。また、日本国内で作られた教科書では、その教科書を作った人たちやその教科書を使う人たちにとって身近な場所やことがらが取り上げられています。ですから、日本で出版された教科書を海外で使う場合、そこに出ている「日本に関係あることば」をすべて教えることが、自分の学習者にとって、どのような長所と短所があるのか、もう一度考える必要があります。教科書で日本語を教えることに一生懸命だと、学習者の頭の中に積み上がっていく「日本のイメージ」になかなか気づくことができません。日本語の授業で使っている教科書に、日本に関するどのようなことばが入っているのか、それを教える必要があるのか、それだけを教えればいいのか、もう一度考えてみましょう。

3-3. 本文中の「日常生活や行動を表すことば」

　3-2 では、教科書の中で「日本の文化」だということがわかりやすいことばを見ました。でも、教科書に出ていることばの中には、そのことばだけを見ると自分の国にもあるけれど、実は、形や様子などが違う場合もあります。このようなことばも、会話や練習で取り上げている場面が「日本」であれば、ただ意味がわかるだけではそのことばを本当に理解しているとは言えません。たとえば、「駅」で切符の値段をたずねる会話を勉強するとき、または、「スーパー」で品物の場所をたずねる会話を勉強するとき、自国の駅やスーパーをイメージして会話の練習をする場合と、日本の駅やスーパーをイメージして会話の練習をする場合では、学習者が学べることが変わります。日本の駅やスーパーを思い浮かべることができると、会話で使われる1つ1つの表現や意味の理解だけではなく、その会話がどうして必要なのか、どのことばや表現が特に大切なのか、その会話をしたら、何ができるようになるのか、なども考えることができます。

【質問15】
みなさんが使っている教科書の中に、上で述べたような、「そのことばだけを見ると、自分の国にもあるけれど、実は形や様子などが日本のものと違うもの」ははないでしょうか。【質問14】で見た課の中から、もう一度探してみましょう。

3-4. ことば以外のもの

教科書の本文の中には、3-2、3-3で見たことば以外にも、日本事情や日本文化が表れていることがあります。

【質問 16】
次の例では、それぞれ、日本についてどのようなことがわかりますか。

＜例1＞

```
　　会　話

　　　　　　どこに　ごみを　出したら　いいですか

管理人：　ミラーさん、引っ越しの　荷物は　片づきましたか。
ミラー：　はい、だいたい　片づきました。
　　　　　あのう、ごみを　捨てたいんですが、どこに　出したら
　　　　　いいですか。
管理人：　燃える　ごみは　月・水・金の　朝　出して　ください。
　　　　　ごみ置き場は　駐車場の　横です。
ミラー：　瓶や　缶は　いつですか。
管理人：　燃えない　ごみは　土曜日です。
ミラー：　はい、わかりました。　それから、お湯が　出ないんですが……。
管理人：　ガス会社に　連絡したら、すぐ　来て　くれますよ。
ミラー：　……困ったなあ。　電話が　ないんです。
　　　　　すみませんが、連絡して　いただけませんか。
管理人：　ええ、いいですよ。
ミラー：　すみません。　お願いします。
```

『みんなの日本語初級Ⅱ』（スリーエーネットワーク）p.3

＜例2＞

> 交番に町の地図がはってあります。
> こうばん　まち　ちず

『みんなの日本語初級Ⅱ』（スリーエーネットワーク）第30課「文型」p.34

> 日光ではどんな所に泊まりましたか（古い旅館）→
> にっこう　　ところ　と　　　　　　ふる　りょかん

『みんなの日本語初級Ⅱ』（スリーエーネットワーク）第49課「練習B」p.197

＜例3＞

> ロバート：いい天気ですね。
> 　　　　　　　　てんき
> けん　　：そうですね。でも、ちょっと暑いですね。
> 　　　　　　　　　　　　　　　　　　　あつ

『げんきⅠ』（The Japan Times）p.96

> メアリー：寒くなりましたね。
> 　　　　　さむ
> たけし　：ええ。メアリーさん、冬休みはどうしますか。
> 　　　　　　　　　　　　　　　　ふゆやす

『げんきⅠ』（The Japan Times）p.190

> 管理人　：いい天気ですね。お出かけですか。
> かんりにん　　　てんき　　　　で
> ワン　　：ええ、ちょっと郵便局まで。
> 　　　　　　　　　　　　ゆうびんきょく

『みんなの日本語初級Ⅰ』（スリーエーネットワーク）p.89

【質問17】

みなさんが使っている教科書では、会話や練習などで、どのような日本の話題や場面が扱われていますか。それぞれ、どのようなことがわかりますか。次のページのような表に書き出してみましょう。

<例>『みんなの日本語初級Ⅱ』第26課（【質問16】の例1の場合）

課	部分	教えている言語項目	日本事情や日本文化に関する話題・場面
26	会話	…んです …ていただけませんか	・ゴミの出し方 ・ゴミ置き場

　ここまで見てきたように、教科書に取り上げられている日本事情や日本文化は、学習項目と関連づけて紹介しているものが多いですが、次のように、間接的に日本文化に触れる機会を提供していることもあります。

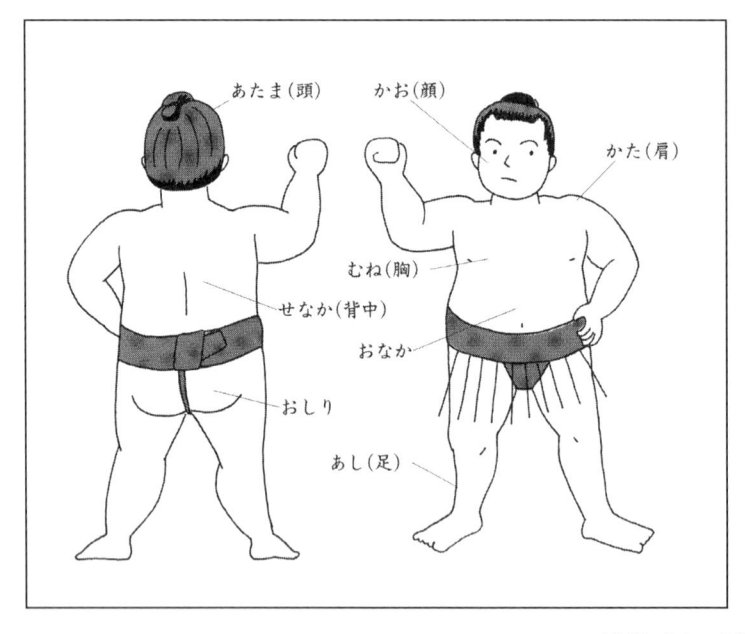

『げんきⅠ』(The Japan Times) p.148

　このイラストはすもうの力士を紹介するためではなく、体の部分のことばを紹介するためのイラストです。しかし、力士を使って、体のことばを教えるだけでなく、学習者にすもうへの関心や興味を持たせることができます。

【質問18】
みなさんが使っている教科書には、言語項目を教える際に使うイラストや写真が、間接的に日本事情や日本文化を扱っているものがありますか。

3-5. まとめ

整理しましょう

　みなさんが使っている教科書には、いろいろな部分で、日本事情や日本文化が取り上げられていることがわかりました。
　これをもう一度整理すると、次のようになります。
　(1) 扱っている日本事情や日本文化がわかりやすい部分
　　①文化に関するコラムなど
　　②対訳語がない、日本に関することば
　(2) 日本事情や日本文化として気づきにくい部分
　　①ことばだけを見ると自国にもあるが、実は形や実態が違うもの
　　②学習項目と関係している場面やトピック
　　③学習項目の説明などに利用されているもの

　このように、教科書の中に出ている日本事情や日本文化をあらためて整理してみると、日本語の授業の中では、どのような日本や日本人が取り上げられてきたかが具体的にわかります。この内容を、第1章で見た6ページの図1に、もう一度照らし合わせてみましょう。そして、第2章で紹介した考え方も参考にしながら、これからの授業で扱いたいと思う内容を次のように整理してみてください。
　①今までみなさんが重点的に扱ってきた内容は、どのようなことでしたか。
　　それは、すべて、これからも同じように扱ったほうがいいでしょうか。
　②今までみなさんは意識していなかったけれど、教科書にあった日本事情や日本文化を見つけることができましたか。
　　その中に、これから扱ったほうがいいと思うことはありますか。
　③教科書にもなく、みなさんも特に取り上げてこなかったけれど、これから扱ったほうがいいと思うものはありますか。

4 素材を考える

　日本国内では、日本事情や日本文化を教えたり学んだりする方法は、いろいろ考えられます。意識さえしていれば、日本で生活する中でも、さまざまな日本に気がつくことができるし、そこから、自国や自分と比べたり、考えたことをまわりの日本人と話したりすることができます。もちろん、そのような機会はとても有効です。けれども、みなさんが教えている学習者には、いろいろな事情で、日本には来ることができない人たちもたくさんいるでしょう。

　海外では、環境が限られていて、学習者は日本にいるのとまったく同じような経験はできません。この第 4 章では、そのような中でも、できるだけ、第 2 章で見たような考え方で授業をするためには、どのようなもの（素材）でどのような工夫ができるか、考えてみましょう。

4-1. 日本に触れる環境

　まず、海外の現場で、学習者が日本や日本人に接する機会にはどのようなものがあるのか整理しましょう。

ふり返りましょう

【質問 19】
みなさんやみなさんの学習者は、何を通して「日本」に触れることができますか。書き出してみましょう。

＜例＞

| □メディア：（テレビ、新聞　　　　　　　　　　　　　　　　　　　） |
| □図書：（日本語の教科書、雑誌　　　　　　　　　　　　　　　　　） |
| □施設：（日本料理店　　　　　　　　　　　　　　　　　　　　　　） |
| □人：（近くに住んでいる日本人　　　　　　　　　　　　　　　　　） |
| □その他：（CD、DVD　　　　　　　　　　　　　　　　　　　　　　） |

```
□メディア：(                                    )
□図書  ：(                                    )
□施設  ：(                                    )
□人   ：(                                    )
□その他 ：(                                    )
```

このような身のまわりにある環境は、日本語や日本事情、日本文化を学ぶ素材として、学習を助けるために使うことができます。

では、第2章で見たような「学習者が文化について、自ら発見したり考えたりする」力を養う授業をするためには、このような素材をどのように利用したら効果的でしょうか。

4-2. 写真を使う

次の文章は年中行事の1つ、「ひな祭り」についての説明文です。

> ひな祭りには、女の子のいる家庭では、ひな人形を飾り、白酒やひなあられ、ちらし寿司、はまぐりの吸い物などを食べて、女の子の幸福を祈ります。
> ひな人形は、15人そろい（女びな・男びな・三人官女・右大臣・左大臣・五人囃子・衛士三人）の七段が正式な形ですが、高価で場所をとるために、女びなと男びなだけの一段を飾る家庭も多いです。
> また、鳥取県用瀬町などには、流しびなの行事があり、紙や草木を人の形にした「人形」に厄を移して、川に流す昔の習慣が今も残っています。

『留学生のための日本事情入門』（文理閣）p.29 を利用して作成

【質問20】

この説明文を読んだら、「ひな祭り」について、どのようなことがわかりますか。
また、説明文だけでは、どのようなことがわかりませんか。

わかること	わからないこと

【質問21】

この説明文には、次のような写真がついています。

この写真で、【質問20】で答えた「わからないこと」のうち、わかるようになることはありますか。

この説明文を理解するためには、ほかに、どのような写真があるといいですか。

人形の隆鳳　石井工芸株式会社提供

『留学生のための日本事情入門』（文理閣）p.29

このように、写真を使うことで、文章だけではわからなかったいろいろなことを見せることができます。

【質問22】

次の文章は、「着物」について書かれています。この文章の理解を助けるための写真をインターネットや雑誌で探してみましょう。どのような写真を探したらいいでしょうか。

――着物――

　昔、日本人は 大人も 子どもも みんな 毎日 着物を 着て生活して いた。 しかし、着物を 着るのは 難しいし、時間もかかって、大変だ。 また 歩く ときや、仕事を する ときも、着物は不便なので、みんな 洋服を 着るように なった。 洋服は 着るのが簡単だ。 それに 日本人の 生活も 西洋化したので、着物より 洋服のほうが 生活に 合う。
　今では 着物は 結婚式、葬式、成人式、正月など 特別な 機会だけに着る 物に なって しまった。

『みんなの日本語初級Ⅱ』（スリーエーネットワーク）p.117

　学習者の文化理解をうながし、文化について考える力を養うために写真を使う場合、大切なことは、写真を見せて、すぐに教師が説明を始めてしまうのではなく、学習者自身が、その写真をよく見て自分で何かを見つけたり何かに気づいたりする時間を与えることです。そのために、写真の選び方について、気をつけることを見ておきましょう。

【質問23】

次の2枚の写真は朝ごはんの様子です。この2枚を比べてみましょう。1枚だけを学習者に見せたら、学習者が持つ「日本の食事」のイメージは、どのようなものになるでしょうか。

上・下:「みんなの教材サイト」(国際交流基金) より

【質問24】

下の写真は、飲み物の自動販売機の写真です。この写真から、自動販売機がどのようなものかはわかります。

けれども、学習者がこの写真だけ見てもわからないことがあります。たとえば、次のような写真をいっしょに見ると、どのようなことがもっとわかるようになるでしょうか。

下:「みんなの教材サイト」(国際交流基金) より

このように、写真はとても便利な素材ですが、学習者にとってとても印象的なので、その選び方や見せ方には気をつけなければなりません。学習者のイメージがかたよってしまわないように、複数の写真を見せたり、1枚の写真は1つの例で、ほかにもいろいろな場合があることを話したりする必要があります。

【質問25】
みなさんの教科書で、写真があったら文章の理解を助けることができると思うところがありますか。そこでは、どんな写真を使ったらいいでしょうか。そのとき、気をつけることはあるでしょうか。

4-3. 映像（動画）を使う

次に、映像（動画）を使うことについて考えてみましょう。

【質問26】
日本事情や日本文化に関して、写真より映像を見せるほうがいいのは、特にどのようなものを見せるときでしょうか。

【質問27】
反対に、写真を見せたほうがいい点はありませんか。
また、学習者が自分で発見したり気づいたりするために映像を見せる場合、注意しなければならないのはどのようなことでしょうか。

4-4. データを使う

日本の公的機関や企業は、さまざまな調査の統計や集計結果をインターネット上で公開しています。そのデータは、今の日本を知る上で役に立ちます。また、自分の国と比較することもできます。

【質問 28】

次のデータは、日本人1万人に、余暇の過ごし方（休日などに、どのようなことをしているか）についてたずねたアンケートの結果です。1997年、2000年、2003年に行ったアンケートのデータを並べてあります。

このデータから、どのようなことがわかりますか。このデータを、みなさんの授業の中で、使うことができますか。

表4：日本人の余暇活動

	1997年	2000年	2003年
音楽鑑賞	17.1	15.1	16.1
ビデオ・DVD鑑賞	－	20.6	25.5
テレビゲーム	11.2	9.6	8.5
読書	19.0	21.0	22.8
園芸、庭いじり	21.5	25.0	24.6
グルメ、食べ歩き	15.0	13.7	19.4
カラオケ	17.0	11.8	13.8
マッサージ	－	2.5	4.0
国内旅行	12.7	13.8	17.0
海外旅行	3.9	5.5	4.8
ドライブ	18.6	21.0	20.3
アウトドア	6.1	8.7	5.8
ゴルフ	9.4	8.5	7.9
スキー	7.5	5.4	4.7
遊園地、テーマパーク	－	7.2	6.8

単位：％

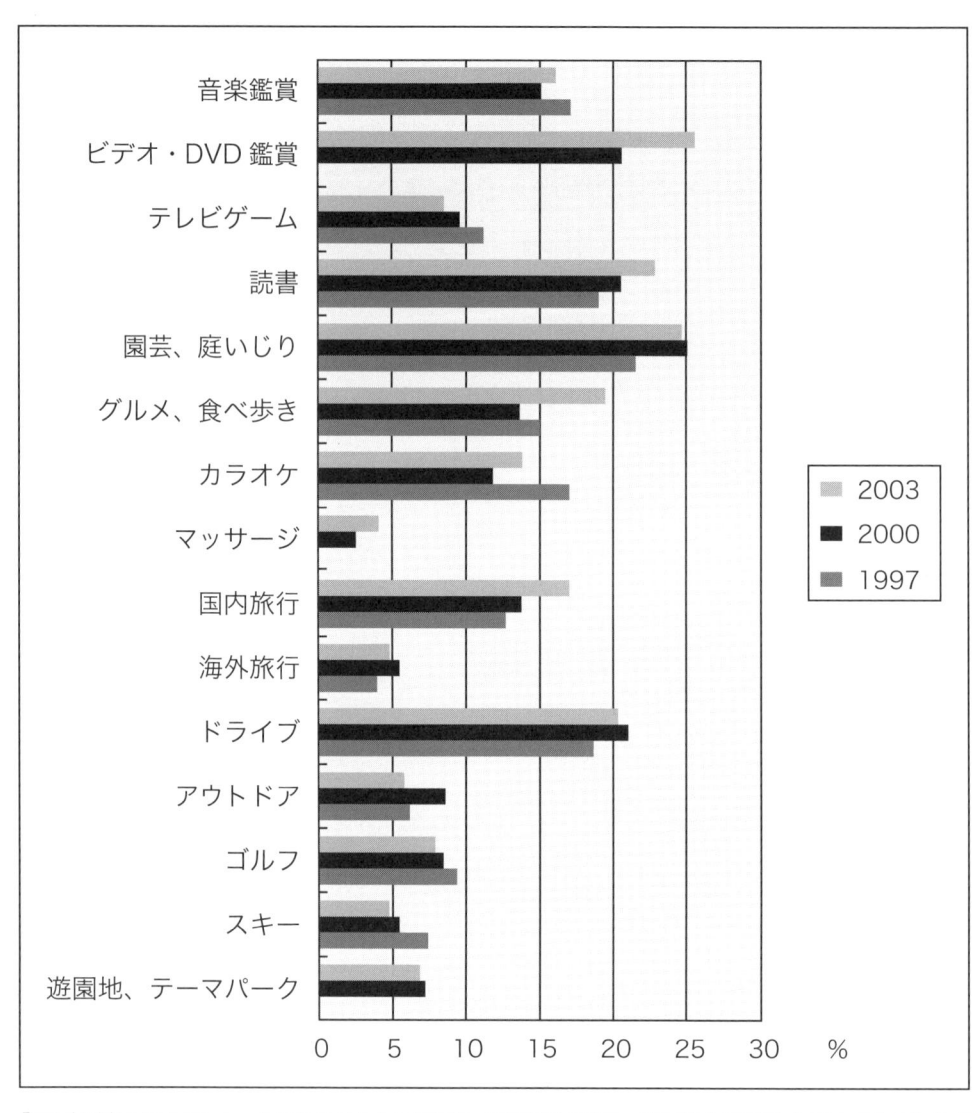

「NRI生活者1万人アンケートにみる日本人の価値観・消費行動の変化」野村総合研究所（2003）をもとに作成

【質問29】
日本語や日本文化の授業で、今まで、データを利用したことがありますか。
それはどのようなデータですか。
また、これから、みなさんの授業で、どのようなデータを使いたいと思いますか。

【質問30】
データを授業に利用するとき、気をつけなければいけないことは、どのようなことだと思いますか。

4-5.「レアリア」を使う

次に、「レアリア」の使い方について考えてみましょう。「レアリア」とは、ことばの教育の現場で使う「本物」のことです。つまり、教育のためにわざわざ作られたものではなく、実際の生活で使われているものです。このような「レアリア」を授業で使うことについて、考えてみましょう。

【質問31】
日本に行く人や、日本にいる知り合いに頼んで、日本語の授業で使う「レアリア」をもらうことはできますか。
次の文型やトピックを教えるとき、どのような「レアリア」があったらいいでしょうか。

文型やトピック	利用できるレアリア
月日	
時間	
〜と〜と、どちらが〜ですか	
注文する	
友だちをさそう	

【質問32】

日本語の授業で、教科書のイラストを使う場合とレアリアを使う場合では、それぞれ、どのような特徴があるでしょうか。教師が日本語を教える上での長所や短所、日本事情や日本文化を教える上での長所や短所を、次のメニュー例を参考にして、それぞれ考えてみましょう。

	教科書のイラストを使う	レアリアを使う
日本語を教える		
日本事情・日本文化を教える		

＜イラストのメニュー例＞

```
menu
ハンバーガー      190円
チーズバーガー    220円
フライドポテト    120円
コーラ           100円
ジュース         100円
コーヒー         150円
こうちゃ         150円
```

「みんなの教材サイト」（国際交流基金）より

＜レアリアのメニュー例＞

ファーストキッチンメニュー（2010年4月）より抜粋

4-6. 日本人や日本をよく知っている人を招く

　日本人や日本で生活したことがある人は身近にいますか。もしそのような人たちがいたら、授業に招いて、実際の体験やその体験で感じたことを聞くことができます。

> 【質問33】
> みなさんの授業に日本人を招いたら、どのような活動をすることができるでしょうか。
> また、このようなビジターセッションで、実際の日本人と交流する時間を作ると、どのような学習効果があるでしょうか。

　日本人と直接話す機会を持つことは、日本語学習の面でも、日本事情や日本文化を知る意味でも、とても有効です。でも、みなさんの身近に日本人がいなかったら、日本滞在経験者や、日本の企業で日本人といっしょに仕事をしている人、日本語通訳、観光ガイドなど日常的に日本人と会って話している人に協力してもらって、その人たちの経験を聞くことも考えられます。

　このビジターセッションでも、注意しなければならないことがあります。たとえば、ビジターセッションで招くことができる日本人は、限られているでしょう。その人たちが話すことは、「日本人全体」の意見や考え方ではありません。みなさんの国にもいろいろな人がいるように、日本人にもいろいろな背景や環境や意見や考え方を持った人がいることを忘れないように指導しなければなりません。
　日本事情や日本文化を教えるとき、もちろん、学習者の興味は「自分の国とは違う日本」から始まると思います。しかし、教師は、すべてを「私たちの国は○○です。日本は△△です。」というように比べないで、1人1人の存在を大切にした取り上げ方をすることが重要です。

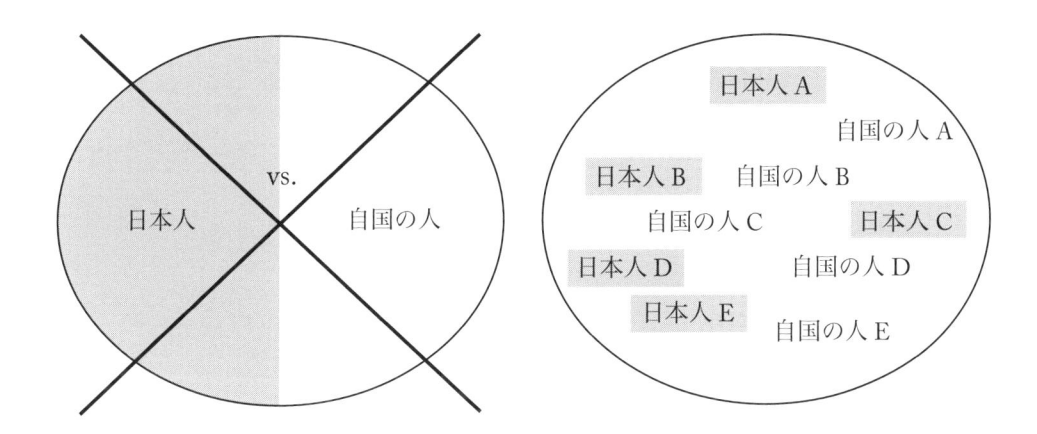

第2章でも見たように、海外の授業で扱う日本事情や日本文化は、学習者がいろいろなことを考える「きっかけ」になります。2つの文化をいわゆる「ステレオタイプ」で比べるのではなく、個人と個人を比べたり、違うところだけでなく、共通点も見つけたりするように指導することが大切です。また、学習者が「違い」に気づいたときも、それを取り立てて距離感や違和感を持たせるのではなく、その理由や背景などに目を向けさせて、お互いに理解しようという姿勢を養っていくようにしましょう。

5 「日本事情・日本文化」を意識した授業を計画する

第4章で考えた素材や方法を使って、具体的に授業を組み立ててみましょう。

5-1. 日本語の授業の中に日本事情・日本文化を取り込む

特に初級のコースでは、日本事情や日本文化を教えたいと思っても授業時間に余裕がなくて十分に教えることができない場合があります。ここでは、授業時間を新しく作らなくても、日本語の授業の中の時間を使って、日本事情や文化も扱う工夫を考えましょう。

＜活動案1：初級の授業に取り入れる(1)＞

【質問34】
次の活動を見てください。この活動で、学習者は何を学ぶことができますか。日本語（ことば）の面ではどのようなことですか。文化の面ではどのようなことですか。

日本語の面	
文化の面	

①教師が、日本人の部屋をいくつか見せます。
　部屋の中にあるものや、気がついたことを書かせます。
　たとえば、以下のような資料を使ってみましょう。
　　資料例1『エリンが挑戦！にほんごできます。』第7課
　　資料例2『すぐに使える「レアリア・生教材」コレクション CD-ROM ブック』
　　　　　　「部屋の映像」
　　資料例3「であい」（http://www.tjf.or.jp/deai/index.html）

「であい」（国際文化フォーラム）より

<タスクシート例①>

問 写真や映像で見た部屋には、何がありましたか。
   あったものに✓をつけて、ほかに見つけたものも書いてください。

	○○さん	△△君	□□さん
つくえ			
電子オルガン			
コンピュータ			
テレビ			
ベッド			
ぬいぐるみ			
その他			

<タスクシート例②>

問 写真や映像で見た部屋には、何がありましたか。
　書き出してみましょう。

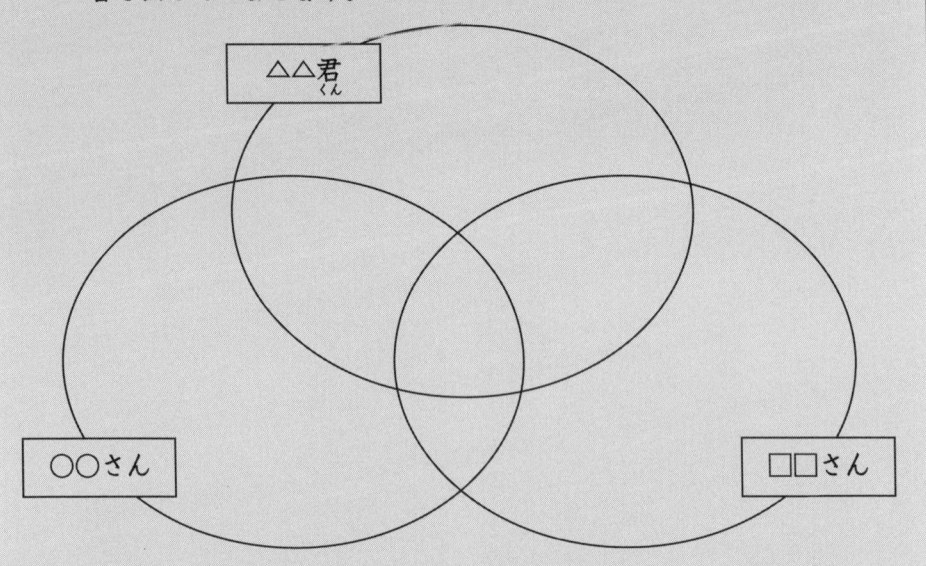

△△君

○○さん　　　　　　　　　　　□□さん

②次に、学習者の部屋にあるものを書かせたり、部屋のイラストを書かせたりして、グループやクラスで発表させます。

　学習者は、友だちの発表を聞いて、リストを作ります。

<リスト例>

あなたのへや	Aさんのへや	Bさんのへや	Cさんのへや

③①と②で整理したものを比べて、気がついたことを話し合います。

　例)「私たちのへやには _____ がありますが、○○さんのへやには、
　　　_____ がありません。」

　　「私のへやと、△△君のへやは _____ ですが、(友だちの)
　　　Aさんのへやは、_____ です。」

このような活動では、教師も学習者も相違点を重視しがちですが、できるだけ共通点も大切に確認しましょう。そして、相違点については、できるだけ、なぜそのような違いがあるのか、自由に自分の考えを言う（母語でもよい）時間を作りましょう。時間がない場合でも、最後に、教師が「なぜでしょう。考えてみてください。」「休み時間に友だちと話してみてください。」などと学習者に伝えます。目に見えるものや表に出ている情報の背景を考える姿勢を養うことができます。

＜活動案２：初級の授業に取り入れる（２）＞

【質問35】
次の活動を見てください。この活動で、学習者は何を学ぶことができますか。日本語の面ではどのようなことですか。文化の面ではどのようなことですか。

---

①学習者に、自分の国の贈り物の習慣について、思い出させます。

　＜タスクシートＡ＞

　問　「どんなとき」「だれ」に「なに」をあげましたか。

　　　思い出して書いてください。

いつ	だれに（あげた）	なにを（あげた）
例）友だちの誕生日	友だち	カード

②タスクシートＡに記入したことをグループで確認させます。

　勉強した日本語を使って、自分のリストを発表させます。
　友だちの発表を聞いて思い出したことは、自分のタスクシートに加えさせます。

　　例）「私は、友だちの誕生日に、友だちに、カードをあげました。」

③教師が日本の贈り物の習慣（学習者の習慣と比べることができたり、学習者が関心を持ったりする習慣）について話します。

学習者は、聞いたことをタスクシートBに記入します。

教師のことばは、学習者の日本語力に応じて、母語を使っても、日本語で説明してもいいです。

また、できるだけ、写真なども見せながら話します。

＜タスクシートB　記入例＞

いつ	だれに（あげた）	なにを（あげた）
お正月（1月1日）	子どもたち	お年玉（お金）
バレンタインデー（2月14日）	好きな男の子	チョコレート
おみまい	病気の人 けがをした人	花、おかし、 くだものなど
母の日（5月第2日曜日）	お母さん	赤いカーネーション

④タスクシートAとBを比べてわかったことを報告します。

例）「私たちも、日本人も、おみまいの時、花をあげます。」
　　「バレンタインデーの時、私は男の子から花をもらいました。
　　日本では、女の子が男の子にチョコレートをあげます。」

『日本語教育通信』第54号「授業のヒント」を利用して作成

　この活動は、日本語の授業で「あげる」「もらう」のような文法項目を勉強したときや、年中行事や贈り物のトピックで授業を行ったときに、することができます。
　そして、学習者の日本語のレベルやカリキュラムによって、いろいろな活動を加えることもできます。たとえば、学習者に自国の習慣について整理させるときには自国のカレンダーを使い、日本の習慣について教師が説明するときには日本のカレンダーを使って、2種類のカレンダーから、気づくことをあげて話す時間を作ることもできるでしょう。また、実際に贈り物をあげる場面の会話練習などを加えて、ことばの面と文化の面の両方を学ばせることもできます。自国で贈り物をあげたりもらったりするときの会話と日本で贈り物をあげたりもらったりするときの会話

は、言い方や表現の仕方が違うでしょう。それをことばの面だけで練習するのではなく、文化の活動と組み合わせると、ことばの学習を背景となる社会や文化の中で行うことができます。

考えましょう

【質問36】
日本事情や日本文化を教えるという点から考えて、活動案1と活動案2の似ているところ、違うところはどこでしょうか。

【質問37】
みなさんは、初級の授業で、活動案1や活動案2と同じような活動をしたことがありますか。これから、みなさんの授業にこのような活動を入れることができるでしょうか。どの課でどのような内容を取り上げて、比べたり考えたりすることができるでしょうか。

＜例＞

課	トピック	取り上げる（比べて考える）内容例
3	スーパー	スーパーの様子、商品、商品の値段、店員のことばや態度

＜活動案3：初級前半での読みの練習に取り入れる＞

次に、読みの練習の中で、日本事情や日本文化も扱う活動例をあげてみましょう。

①教師は、数名のグループごとに、次のものを準備します。
　・大きい日本の地図（県名が入ったもの。手書きでもよい。）1枚
　・日本の名所や特産物の写真またはイラスト

②そして、授業の前に、教室のいろいろなところに、次のような文を貼っておきます。

・「京都には、お寺がたくさんあります。」
・「北海道では、冬にスキーができます。」

③学習者は、グループのメンバーで分担して、教室の中の文を探し、文を覚えながらグループに戻り、グループのメンバーに伝えて、グループにある写真やイラスト（寺、スキー…）を地図に貼ります。

④作業が終わったら、貼った写真やイラストを見ながら、クラスで答えを確認します。

　この活動案は、1～2行の文だけを使って読む練習をしながら、日本の地理を全体的にとらえる活動です。設定を変えて、町の様子や家の中など、もっと日常生活をテーマにすることもできます。また、この活動では、教室に文を貼って、文を覚えたり友だちに伝えたりしていますが、もちろん、グループや各自に文を配って行うこともできます。

　さらに、「○○の一日」「○○の食べ方」「○○のやり方」などのテーマで、説明文にしたがって、順番に、写真やイラストを並べる活動もできるでしょう。

　このような活動でも、作業をするだけで終わりにしないで、そこからわかったことや気づいたこと、その背景として考えられることなどを話す時間を作るようにしましょう。

＜活動案4：初級後半での読解練習に取り入れる＞

【質問38】
次の活動を見てください。この活動では、学習者は何を学ぶことができますか。日本語の面ではどのようなことですか。文化の面ではどのようなことですか。

①次の3つの文章を与えて、それぞれがどの写真のことかを考えさせます。

A
　食堂やレストランなどの前には、料理が並んでいます。本物が出ていることもありますが、ほとんどは"ろう"で作ったものです。
　このような食品サンプルは買うこともできますが、本物より値段が高いです。

B

　和食やラーメン屋の入り口には、営業時間中、のれんがかかっています。のれんには、そのお店の名前と、食べられる料理の名前などが、書かれています。

C

　お店に入るとまず、水やお茶といっしょにおしぼりが出てきます。夏は冷たく、冬は温めたものを出してくれます。外からやってきたお客さんが食事の前に手をふくために使います。

『日本生活事情』（アルク）pp.88-91を利用

②　A～Cは客にとってどのようなサービスになっているか、どうしてそのようなサービスがあるのか、考えさせます。

　このような活動は、教科書の中の読解文や文化コラム、写真やイラストをもとにして、教師が少し情報や写真を工夫するだけでできます。
　また、もっとレベルの高いクラスでは、インターネットなどで探した日本人向けの案内を使うこともできます。たとえば、「観光地」や「レストラン」、「今、流行しているもの」、「部活」、「制服」などの説明の文章を読ませて、それに合う写真やイラストを選ばせたり、それを使ってポスターを作ったりします。

【質問39】
みなさんが使っている教科書には、読解文や文化コラムがありますか。それを使ったり、ほかの文や写真などを加えたりして、同じような活動ができるか、考えてみてください。

＜活動案５：ロールプレイに取り入れる＞

　ロールプレイは、話す技能を養う活動の１つですが、これに日本の場面を取り入れて、日本事情や日本文化を伝えることもできます。みなさんは、今までも日本語の授業のロールプレイで、その前後に日本の写真や映像を見せたり、レアリアを使ったりして、日本の場面を作ってきたかもしれません。その時、ただことばの学習のために日本のような雰囲気を作るだけでなく、使用するものや状況から、学習者がどのようなことに気づくか、少しでも話してみましょう。

【質問40】
次の活動を見てください。この活動では、学習者は文化の面で、どのようなことを学ぶことができますか。第２章（3）（p.15）で説明した「３つのＰ」を使って考えてみましょう。

①教師は日本のコンビニの映像を見せて、店員と客が使っていることばの確認をします。
　　資料例『エリンが挑戦！にほんごできます。』第４課

②もう一度、同じ映像を見せて、日本のコンビニで売られているもの、店員の対応などを確認します。

③教室の前と後ろに、「自国のコンビニ」と「日本のコンビニ」を設定して、ロールプレイを行います。（「自国のコンビニ」の設定も、日本人の客が来た状況を作って日本語で行いましょう。）
　できれば、商品なども「自国のコンビニ」と「日本のコンビニ」の設定を工夫して準備させます。（日本のコンビニについては、どのようなものがどのように並べられていたか、映像を参考にします。）

④ペアやグループで練習した後、それぞれのコンビニの例を発表し合います。

⑤コンビニの準備やロールプレイを行って、気づいたこと、感じたことを話し合います。

ロールプレイの中でも、この例のように少し工夫すると、文化の学習の要素をもっと加えることができます。ロールプレイの前後に、それぞれの国のコンビニ事情から、背景として考えられることについて、学習者はどのようなことに気づいたり考えたりするか、短い時間でも、聞いてみましょう。

　ここでは、例としてコンビニを使いましたが、スーパーやいろいろな店（学習者が興味を持つことができる店を選びます。ファストフードの店などでもよいでしょう。）を使って、同じようにすることもできます。

＜活動案６：文字の授業に取り入れる＞

　文字を教えるときには、日本のいろいろなレアリア（メニュー、チラシ、お菓子の袋や箱、ポスターなど）を使って練習させたり、クイズを作ったりすることができます。また、次の活動のように、日本の看板などの写真を使うこともできるでしょう。

①日本の看板や店の名前の写真を利用して、カタカナを教えます。

②写真から気づいたことをみんなで話し合います。

上左・上中・上右：『すぐに使える「レアリア・生教材」コレクション CD-ROM ブック』
（スリーエーネットワーク）より

【質問41】
カタカナを教えるために使う次のような写真は、それぞれ、どのような長所があるでしょうか。日本事情や日本文化を学ぶという点では、どのような写真がいいでしょうか。
1) 文字を画面いっぱいに撮って、白黒でプリントアウトしたもの
2) いろいろな看板を撮って1枚の紙に集め、カラーでプリントアウトしたもの
3) 看板だけでなく、まわりの風景や店の様子をいっしょに撮って、プリントアウトしたもの

<活動案7：中・上級の4技能統合型の授業に取り入れる>

　中級や上級の読解教材、聴解教材には、日本事情や日本文化に関するトピックがよく取り上げられています。ですから、海外の授業でも、このような教材を使って読解や聴解をした後に、そのトピックについて話し合ったりディスカッションしたりしたこともあるでしょう。この活動の中に、写真や映像を組み合わせたり、新しい情報やデータを加えたりすると、1つのことをいろいろな視点で見ることができるようになります。また、教材に書かれていることと違う意見や考え方を新聞やインターネットなどから探すことができたら、もっと多角的な視野を養うことができます。

①教師は、日本の若者が携帯電話を使っている、いろいろな映像や写真を見せて、学習者に、その映像や写真に出ている人たちが携帯電話をどのように使っているか、自分たちの使い方と同じところはどこか、違うところはどこか、考えさせ、グループで話し合わせます。
　　資料例『エリンが挑戦！にほんごできます。』第14課

②違うところについて、なぜ日本人はそうするのか、なぜ自分たちはそうするのか、グループやクラスで意見を出し合わせます。

③教科書に携帯電話に関する文章の読解や聴解の活動がある場合は、それを使います。（決まった教科書を使っていない場合は、次の④の活動で新聞や雑誌、インターネットなどから文章を探して日本語の学習をすることもできます。）

④次のような資料（できるだけ、複数の考え方が表れているもの）を使って、クラスでディスカッションやディベートをします。

「あなたは学校に携帯電話を持ってくることについて、賛成ですか？ 反対ですか？」

○資料１　Hatena::Question（http://q.hatena.ne.jp　2006年閲覧）より
質問：高校に携帯電話を持ってくることに賛成ですか？ 反対ですか？ 理由も書いてください。また、携帯電話の持ち込みを許可された高校の実例が載っているページを教えていただければありがたいです。
《質問理由》僕の高校は私立というせいもあり校則がやや厳しく、携帯電話の持ち込みを禁止しています。文化祭などの時だけでも許可してほしいので、意見書を作ろうとしています。そこでできるだけ多くの人の意見を聞いてみたいのです。

賛成です。	反対です。
私の学校も私立です。学校側は「他人とのコミュニケーションが、携帯電話を通じた形でないと取れなくなってしまう」というわけのわからない理由で持ち込みを禁止しています。	一部許可をしている所もあるみたいですが、許可をする理由が解らないです。
別にそんな大げさなことにはならないし、休み時間に少しやるくらいなら全然良いと思うのです。緊急の連絡とかあるので、持っていないと不便なことさえもあります。携帯というのは、デメリットよりもメリットの方が数が多いです。学校側は少しデメリットにびびりすぎです。	所持禁止はおかしいと思うのです。これは個人の自由ですし今は防犯のために持たせるなんてこともありますから。 しかし、持ち込みは違うと思います。学校生活の中で使うメリットが見当たりません。 文化祭で連絡を取り合うためですか？事前の打ち合わせ、校内放送等で充分まかなうことができますよね。

○資料2　Benesse教育研究開発センターが選ぶ「調査データクリップ！子どもと教育」(http://benesse.jp/berd/data/dataclip/clip0001/index.html　2009年閲覧）より

☆携帯電話の利用実態

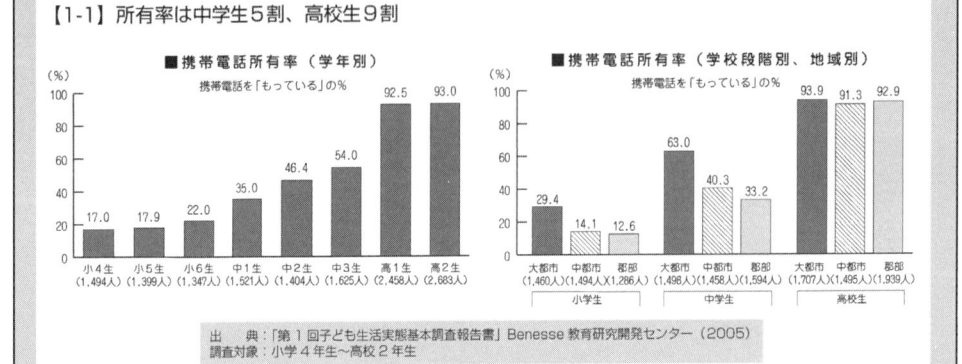

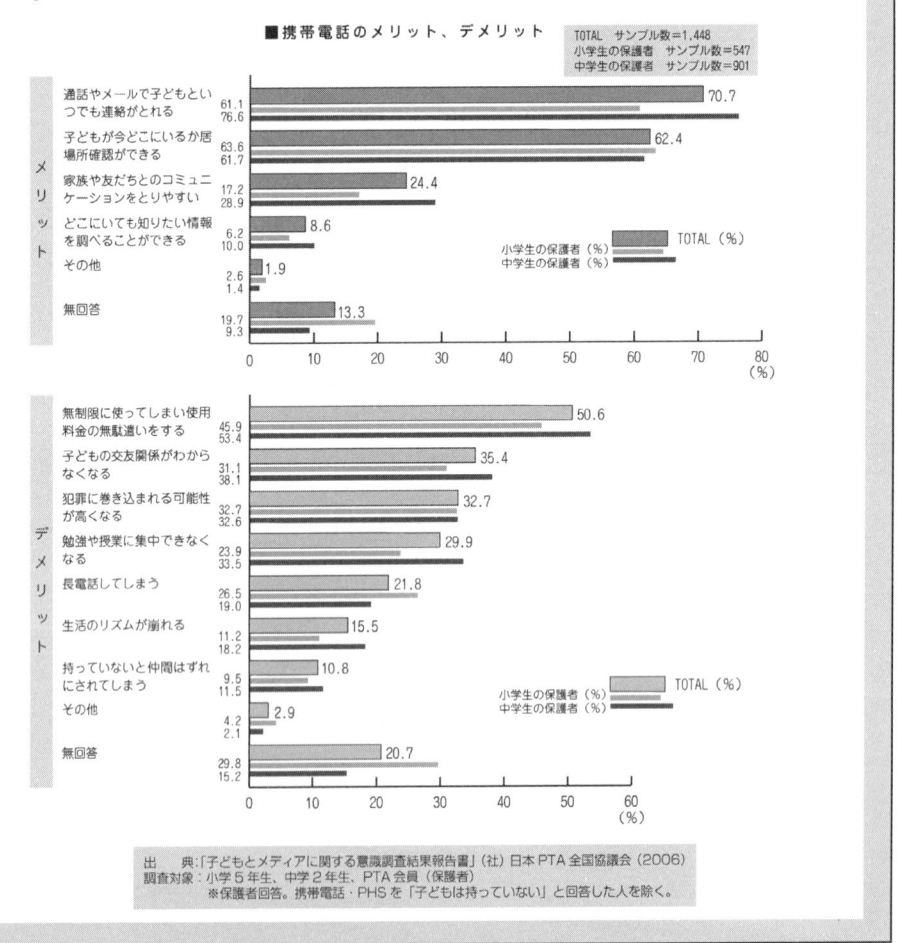

【1-1】所有率は中学生5割、高校生9割

■携帯電話所有率（学年別）
携帯電話を「もっている」の%

学年	%
小4生（1,494人）	17.0
小5生（1,399人）	17.9
小6生（1,347人）	22.0
中1生（1,521人）	35.0
中2生（1,404人）	46.4
中3生（1,625人）	54.0
高1生（2,458人）	92.5
高2生（2,683人）	93.0

■携帯電話所有率（学校段階別、地域別）
携帯電話を「もっている」の%

	大都市	中都市	郡部
小学生	29.4 (1,460人)	14.1 (1,494人)	12.6 (1,286人)
中学生	63.0 (1,498人)	40.3 (1,458人)	33.2 (1,594人)
高校生	93.9 (1,707人)	91.3 (1,495人)	92.9 (1,939人)

出　典：「第1回子ども生活実態基本調査報告書」Benesse教育研究開発センター（2005）
調査対象：小学4年生〜高校2年生

【2-1】保護者が感じる最大のメリットは「子どもといつでも連絡がとれる」

■携帯電話のメリット、デメリット
TOTAL　サンプル数=1,448
小学生の保護者　サンプル数=547
中学生の保護者　サンプル数=901

メリット

項目	TOTAL(%)	小学生の保護者(%)	中学生の保護者(%)
通話やメールで子どもといつでも連絡がとれる	70.7	61.1	76.6
子どもが今どこにいるか居場所確認ができる	62.4	63.6	61.7
家族や友だちとのコミュニケーションをとりやすい	24.4	17.2	28.9
どこにいても知りたい情報を調べることができる	8.6	6.2	10.0
その他	1.9	2.6	1.4
無回答	13.3	19.7	9.3

デメリット

項目	TOTAL(%)	小学生の保護者(%)	中学生の保護者(%)
無制限に使ってしまい使用料金の無駄遣いをする	50.6	45.9	53.4
子どもの交友関係がわからなくなる	35.4	31.1	38.1
犯罪に巻き込まれる可能性が高くなる	32.7	32.7	32.6
勉強や授業に集中できなくなる	29.9	23.9	33.5
長電話してしまう	21.8	26.5	19.0
生活のリズムが崩れる	15.5	11.2	18.2
持っていないと仲間はずれにされてしまう	10.8	9.5	11.5
その他	2.9	4.2	2.1
無回答	20.7	29.8	15.2

出　典：「子どもとメディアに関する意識調査結果報告書」(社)日本PTA全国協議会（2006）
調査対象：小学5年生、中学2年生、PTA会員（保護者）
※保護者回答。携帯電話・PHSを「子どもは持っていない」と回答した人を除く。

【質問42】
みなさんのコースの中級や上級のクラスでは、今まで、日本や日本人についてどのようなことを読んだり聞いたり話したりしてきましたか。トピックを書き出してみましょう。どのような特徴がありますか。
日本語の学習という観点だけではなく、日本文化や日本事情を広く扱うという観点で考えると、今まで取り上げたトピックや内容は、何か変えたり加えたりしたほうがいいことはありますか。1-2で使った図1(p.6)も見ながら考えてください。

整理しましょう

　ここまで紹介してきたように、日本事情や日本文化は、日本語を学ぶ授業の中でも扱うことができます。みなさんの中には、今までにも、日本語の授業のために、いろいろな写真やレアリア、映像を使ってきた人もいるでしょう。そのようなものを使う意味をもう一度考えて、その利点を生かした授業を考えてみましょう。
　短い時間でも、学習者が、日本語の授業で使われた素材をよく見る機会を作り、自分や自分のまわりの状況と比べて、そこから何かを発見したり、気づいたりすることを大切にしましょう。さらに、自分の考えや意見を話させると、ほかの人の違った見方や考え方に気づくこともできます。比べるために、まず、日本と自分の国を大きくまとめて考える段階も必要ですが、その後で、それぞれの国にもいろいろな人やいろいろな状況があることに気づくことも大切です。

5-2. 日本事情・日本文化を教えるための独立した授業を行う

次に、日本事情や日本文化を勉強するために、特別な時間を使うことができる授業について、いくつか例をあげて考えてみましょう。

＜授業例１：教師が行う授業（１）「結婚式」＞

①まず、学習者に次のような質問をします。全員が答えなくてもいいです。
「結婚式に出席したことがありますか。」
「身近な人から結婚式について聞いたことがありますか。」
「どのような結婚式でしたか。」
そして、自国の結婚式について、持っている情報を共有します。

②日本の結婚式の写真（または映像）と、それについての情報（場所、予算、出席者、料理、プレゼントなど）を見せます。
学習者は、自国の結婚式と比べながら、その情報からわかること、気づいたことを書きます。
そして、グループやクラスで発表し合います。

③日本の結婚式の②とは違うタイプの写真と、それについての情報を見せます。
学習者は、各自で②の結婚式と比べて、違う点を書き出しながら、それぞれの結婚式の長所と短所を考えます。
（たとえば、
・神社や教会で行われる結婚式と最近増えている「人前結婚式」
・たくさんの出席者を呼んで豪華に行う結婚式と家族や親戚だけで行う結婚式
・地方で行われている結婚式と都市で行われている結婚式
・「お祝い」のお金を持っていって参加する結婚式と会費を払う結婚式
など、いろいろなタイプの結婚式を扱うことができます。）

④そして、③で考えたことを、グループやクラスで、整理したり、意見交換したりします。
（同じ点について、長所と考える学習者と短所と考える学習者がいるかもしれませんが、両方の意見を大切にしましょう。）

⑤日本と自分の国の人々の価値観や慣習のよさを取り入れながら、自分はどのような結婚式をしたいか、書かせたり発表させたりします。

この授業は、

(1) 自分のこと、自分に身近なことを考えることから出発する

(2) 学習者同士の状況を共有して、自国の人の大きな共通点と、いくつかの点での多様性、個別性を確認する

(3) 日本の例を1つ見て、自分たちと比べ、違いの理由を考える

(4) 日本の例を複数見て、自分たちと比べる一方、日本にも多様性、個別性があることを確認する

(5) 自分たちの意見を交換することで、自分たちの考え方にも多様性、個別性があることを再認識する

(6) それぞれの多様な考え方には価値観や慣習が反映していることにも気づき、各々の理由やそのよさを考える機会を作る

というように進められています。教師は、日本と自国の違いからわかる多様性だけではなく、日本にも自国にもさまざまな立場や意見があることに気づかせること、違う立場や意見に対して嫌悪感や拒否感を持たずに背景を思いやり、考えるように導くことが大切です。

＜授業例2：教師が行う授業（2）「日本人の朝食」＞

＊この授業例は、国際交流基金日本語国際センターの「日本語教育指導者養成プログラム」(2009年度)に在籍した韓国の高校の先生が考えたものを参考にしました。

①学習者1人1人に、日本人の朝食について知っていることや聞いたことがあることを小さい紙に書き出させて、次のような書式の紙の上に置かせます。

（私たちと）似ている	共感できる　好きだ	（私たちと）違う
	↑↓	
	変だ　不思議だ　好きじゃない	

②教師が写真または映像を見せて、新たに見つけたこと、わかったことや自分が思っていたことと違う点を①と違う色の小さい紙に書かせて、①の大きい紙に加えて置かせます。

＜写真の例＞

左・下：「みんなの教材サイト」
　　　（国際交流基金）より

右：「であい」（国際文化
　　フォーラム）より

③②で見たことを中心に、グループで、各自が書いたものを発表し合い、それについてどう思うかなどを話します。そして、①と同じ書式の大きい紙に、場所を相談しながらグループ全員の小さい紙を移して貼ります。

④グループの多くが「違う」「不思議だ」と思った点から１つを選び、「なぜ…ますか。」のような質問を作ります。質問を書いた紙を隣のグループに渡します。

⑤質問を受け取ったグループは、日本人の立場になって、自分たちの「回答」を考え、記入して返します。

⑥回答を受け取ったグループは、回答を共有し、自分たちの意見を話し合います。

【質問43】
この活動で、学習者はどのようなことが学べるでしょうか。
そのために、③の話し合いはどのように行われたらいいでしょうか。
④～⑥の活動では、学習者にどのような姿勢を持たせたらいいでしょうか。

<授業例3：教師が行う授業（3）「インターネットカフェ」>

<1日目>

①学習者にふだんインターネットをする時や場所について質問します。

②日本のインターネットカフェの写真を見せ、どのようなところか、何ができるか、考えさせます。

③写真や文章で、日本のインターネットカフェの歴史や背景、設備、利用方法、料金などを紹介します。（学習者の日本語力に応じて、日本語と母語を両方用います。）

④学習者に、関連するWebサイトやネット記事を紹介し、時間の許すかぎり見ておくように伝えます。

<2日目>

⑤次の中から1つを選んで行います。前の授業や学習者が自分で調べた内容を生かすといいでしょう。

（ここで紹介している授業は文化を扱う授業ですが、活動を決めるときには、日本語学習の要素をどの程度いっしょに入れたいか、また、学習者の日本語力はどのぐらいか、なども考えましょう。そして、日本語で行う部分と母語で行う部分を決めましょう。）

　A．日本のインターネットカフェの客と店員、またはインターネットカフェを利用する友人同士になってロールプレイを行う。

　B．「インターネットカフェのメリット・デメリット」「日本と自国の複合カフェ（飲食以外のサービスも提供している喫茶店。インターネットカ

> フェはその1つ。)の違い」といった内容でディスカッションやディベートをする。
> C. 自国と日本のインターネットカフェのいいところを取り入れて、自分が新しいインターネットカフェを開店するとしたら、どのような店にしたいか、計画を立て、ポスターなどを作って発表し合う。

【質問44】
この授業例の⑤の活動A、B、Cでは、それぞれ、学習者はどのようなことを学ぶことができるでしょうか。

【質問45】
みなさんの現場では、ここまで紹介した授業例1～3の方法を使うことができるでしょうか。どのようなテーマでどのような活動をすることができるでしょうか。

＜授業例4：日本人ビジターを招く授業（1）「環境」＞

みなさんの身近に日本人がいたら、その人たちに授業に参加してもらうこともできるでしょう。

　ビジターセッションで取り上げるトピックや内容は、学習者の興味や日本語のレベル、ほかの日本語の授業で教えていることがらなどから考えます。そして、日本人ビジターの背景（年齢、職業、日本を離れてからどのくらいたっているかなど）とも調整して決めます。ビジターセッションのいちばんの利点は、現代の日本事情や昔からの伝統文化などについて、日本人が実際どのようにしているか、それについてどのような意見を持っているか、直接聞くことができることです。トピックは、ただ情報をもらうことができるだけではなく、ビジター個人の意見や気持ちを聞くことができるものがおもしろいでしょう。

　学習者には、「一問一答」で進まずに、日本人の答えについて、もう一度「どうしてそれを選んで答えたのか」「日本人はみんな同じような答えを言うと思うか」など、話を深く掘り下げる努力をするように伝えます。必要に応じて、ビジターセッションの前に、そのような日本語の練習もしておきましょう。

＜日本人ビジターを迎える前に＞

①グループに分かれて、環境をテーマにした以下のような川柳を読み、そこからわかったことを整理させます。
　＊必要があれば、日本には川柳という詩の形があることを説明します。（五七五の17音であること、社会のできごとや人々の生活をテーマにすること、話しことばが使われることなど）

> 環境川柳例：
> 　その包装　いらないです　とは言い出せず
> 　空缶は　リサイクルより　買わぬこと
> 　ペーパーレス　推進しつつも　メール印刷
> 　　　　（以上、一般社団法人日本真空工業会「環境川柳」）
>
> 　ポイすての　親を子供が　見ています
> 　缶一つ　拾って歩く　散歩道
> 　おでかけに　もっていこうよ　ゴミぶくろ
> 　ゴミ拾い　だれでもできる　ボランティア
> 　　　　　　　　　　（以上、岐阜県「環境川柳」）

②学習者は、グループで整理した内容を全員で確認し、自分の国の環境問題と比べて意見を出し合います。川柳の中で、自分たちのエコロジー意識（環境を大切にする意識）を高めるために参考になることがあったかどうか、それは何か、逆に自国のことで日本の参考になることがあるかどうかを、話し合います。

③ビジターセッションの説明をします。日本人ビジターと話してから、自国と日本のエコロジー意識を高めるポスターをいっしょに作るように指示します。ポスターを作るために、川柳だけからではわからない、もっと知りたいことを書き出させます。

<日本人ビジターを迎えて>

④学習者は、①で読んだ川柳を日本人ビジターに紹介し、日本人の解釈を聞いたり、②で考えたことを説明したりします。

⑤そして、③で書き出した「もっと知りたいこと」を日本人ビジターに聞いたり、いっしょに調べたりして、ポスターを作るためのお互いの理解を深めます。

⑥学習者と日本人とで協力して、ポスターを作ります。川柳を新しく作ったり、標語を考えたり、箇条書きで書いたりして、絵、イラスト、写真などと組み合わせます。

⑦ポスターの発表をします。それぞれのポスターのメッセージを確認して、実現できるかどうか、どのような具体的な行動をしたら実現できるか、意見を出し合います。

<授業例5：日本人ビジターを招く授業（2）「日本人の価値観」>

さらに、日本語のレベルが高くて、抽象的なことばなども使って日本人と話すことができるクラスでは、次のように、日本人の考え方や価値観などを直接取り上げることもできます。

<日本人ビジターを迎える前に>

①直接会った日本人、ドラマや映画の中の日本人などから日本人らしいと思う行動や様子はどのようなことか、そして、日本人はどのような価値観を持っていると思うか、書き出させておきます。

②①で書き出したことをグループやクラスで発表して、お互いの意見を聞き合います。

③話し合った内容や自分が感じていることを日本人ビジターに確かめる質問を考えます。

＜日本人ビジターを迎えて＞

④③で考えた質問をします。
　ビジターの人数が少なくても、時間を区切って、できるだけ複数のビジターの話を聞けるようにします。

＜日本人ビジターを迎えた後に＞

⑤日本人とのやり取りや聞いたことから、感じたことを話し合います。

【質問46】
ビジターセッションは日本事情や日本文化を学ぶとてもよい方法の1つですが、そのために、日本人ビジターには、どのような点に気をつけてもらう必要があるでしょうか。

＜授業例6：学習者自身に調べさせる＞

　学習者が、自分自身で、興味を持ったことについて調べて発表し、日本について学び合うこともできます。日本事情や日本文化を扱う一連の授業の中の何回かを、このような「プロジェクトワーク」に使うのもいいでしょう。このような活動を取り入れることによって、教師自身も、学習者の興味や関心を知ることができ、次からの授業に生かすことができます。
　活動の基本的な流れは、以下のようになります。

①学習者をグループに分けて、関心のあるテーマから、調査研究を行うテーマを決めさせます。
②学習者がふだんから使っているリソースを確認し、教師からもいくつかの材料を紹介して、テーマについて調べさせます。
③調べたことをポスターやパワーポイントにまとめたり、報告したりさせます。

④報告内容を聞いて、クラスで自分の国との共通点や相違点とそれぞれの背景、または自分の国と日本のつながりなどについて考えます。

テーマを考えさせるときには、まったく自由にする方法もありますが、自分の国にあるものや自国の産業、社会などと関連するもの、または比較できるものなどを取り上げると、「気づく」＋「考える」授業にしやすくなるでしょう。ここでは、具体例として、「祝日」についてのプロジェクトワークをあげておきます。

---

①自国の祝日（公的な休み）について、理由や背景を簡単に確認します。

②学習者を4、5人のグループに分けて、日本のカレンダーを渡し、日本の祝日を確認させます。

③グループごとに、興味を持った祝日などを分担し、それぞれなぜ祝日になっているのかを調べさせます。また、できるだけ、その祝日が現在どのように過ごされているかという点も調べさせます。

④調べた結果をクラスで発表させて、正しい情報を得ているかどうか確認します。（発表には、いろいろな方法が考えられます。グループごとに口頭で発表したり、簡単なポスターを作ったり、1枚の紙に新聞記事の形式で作って配ったりすることができます。いずれも、できるだけ、視覚資料を取り入れさせましょう。）

⑤自分の国の祝日と日本の祝日を比べて、どのような祝日が多いか、どのように祝日を祝っているかなどの相違点や共通点、背景と思われることを考えさせます。グループやクラスで話し合わせて、いろいろな人の意見を聞いてから、時間があれば、1人ずつレポートにまとめさせてもいいでしょう。

【質問47】

みなさんは、このようなプロジェクトに使うことができる、どのようなリソース（情報を取るもの）を知っていますか。学習者はどうでしょうか。そのようなリソースを組み合わせて、どのような調査ができるでしょうか。

MEMO

6 学習者が学んだことを確認する

　第5章では、いろいろな活動案を見ました。その中には、みなさんが今までやってきた活動とほとんど同じものもあったかもしれません。活動の形態は同じでも、教師は、そのような活動を何のためにするのか、ということを考え、学習者はそこで何を学ぶのか、ということをあらためて意識すると、文化を扱う授業を考えることができます。最後に、もう一度、みなさんのコースで日本事情や日本文化を取り上げる意義を思い出してみましょう。

　この本の最初にある「この巻の目的」や第2章でも述べたように、特に海外の日本語のコースの学習者は、近い将来、日本に行く人ばかりではありません。その人たちにとって、外国語学習の中でその国の文化を学ぶ目的は、その文化についてくわしくなったり、その国の人たちと同じ行動がとれるようになったりすることだけではありません。勉強している外国語とその文化を通して、自分とは違う文化があること（他国の文化だけでなく、自国の中にも自分とは違う文化があること）に気づき、広い視野を持つことが大きい目的の1つです。これは、学習者のその後の人生のいろいろな場面で、生かすことができる力になります。

　そのように考えると、日本事情や日本文化に関する授業で学習したことを確認する手段として、学習者が学んだ知識や情報がどのくらいあったか、それを正しく覚えているか、という評価（テスト）を行ったのでは、目的と合いません。いろいろな理由で知識を測ることも必要な場合があるかもしれませんが、授業の中で、学習者がどのようなことをどのように考えるようになったか、ということを確認することがとても大切です。

　この確認の仕方は、それぞれの現場に合った形で行う必要がありますが、ここでは、参考のために、2つの方法を紹介します。

6-1. ポートフォリオ

　ポートフォリオとは、学習者が学習過程で作成したものと自己評価の記録、教師のアドバイスや評価などをファイルなどに集めて整理して、学習者の能力の発展がわかるようにするものです。日本事情や日本文化について学んだことも、このポートフォリオを使って確認したり評価したりすることができます。ファイルに入れるものは、教師だけが考えるのではなく、学習者と相談して決めるといいと思います。大切なことは、できあがったきれいなもの（学習者が行った発表の最終的な原稿やパワーポイントの資料、レポート、ポスターなど）だけを保存するのではなく、コースの最初から最後まで、学習者がどのようなことを考え、どのようなことに悩み、どのように変化したかがわかるようなものをすべて保存する必要があることです。
　そのためには、たとえば、毎回の授業の後や、1～2週間に1回、自分が気づいたことや考えたことを記録しておくためのシート（「ふりかえり」シート例①参照）を書かせるといいでしょう。授業を受ける前に持っていた知識や情報、イメージなどを記録させ、それが活動や授業でどのように増えたか、変わったかを学習者自身も教師も観察することができるシートです。使用する言語は母語でもかまいません。教師も内容を確認し、コメントをつけて学習者に返し、それもファイルに保存していくように指示をします。

　さらに、学期の終わりなどには、「ふりかえり」シート例②のようなシートも用意します。そして、学習者に、それまでにファイルに保存した成果や記録をもう一度見る機会を与えます。そうすることで、教師も学習者1人1人が学んだことや考えたことを知ることができ、今後の授業に生かすことができます。また、学習者も、自分の考え方がどのように変化したり成長したりしたのかを自覚することができ、これからの授業を受ける姿勢を見直すこともできます。

「ふりかえり」シート例①

「ふりかえり」シート

（きょう・今週）の授業で、私は･･･

＜今まで、こんなふうに思っていた＞

＜こんなことに気づいた＞
＜こんなことがちがっていた＞

もっと知りたいと思ったこと

教師からのコメント

「ふりかえり」シート例②

日本事情・日本文化　活動の記録
（　　年　月　日　～　月　日　）

名前　＿＿＿＿＿＿＿＿＿＿＿＿＿＿

● １学期が始まってから今日までにどんなことに気づきましたか。
　次のことについて、新しく知ったこと、気づいたことを書いてください。
　そのことについて考えたことがあったら、それも書いてください。
　1. 日本の○○について
　2. 日本の△△について
　3. その他の日本について

（できるだけくわしく書いてください！）

1について
＿＿＿＿＿＿＿＿＿＿＿＿＿＿＿＿＿＿＿＿＿＿＿＿＿＿＿＿＿＿＿＿＿＿
＿＿＿＿＿＿＿＿＿＿＿＿＿＿＿＿＿＿＿＿＿＿＿＿＿＿＿＿＿＿＿＿＿＿
＿＿＿＿＿＿＿＿＿＿＿＿＿＿＿＿＿＿＿＿＿＿＿＿＿＿＿＿＿＿＿＿＿＿
＿＿＿＿＿＿＿＿＿＿＿＿＿＿＿＿＿＿＿＿＿＿＿＿＿＿＿＿＿＿＿＿＿＿

2について
＿＿＿＿＿＿＿＿＿＿＿＿＿＿＿＿＿＿＿＿＿＿＿＿＿＿＿＿＿＿＿＿＿＿
＿＿＿＿＿＿＿＿＿＿＿＿＿＿＿＿＿＿＿＿＿＿＿＿＿＿＿＿＿＿＿＿＿＿
＿＿＿＿＿＿＿＿＿＿＿＿＿＿＿＿＿＿＿＿＿＿＿＿＿＿＿＿＿＿＿＿＿＿
＿＿＿＿＿＿＿＿＿＿＿＿＿＿＿＿＿＿＿＿＿＿＿＿＿＿＿＿＿＿＿＿＿＿

3について
＿＿＿＿＿＿＿＿＿＿＿＿＿＿＿＿＿＿＿＿＿＿＿＿＿＿＿＿＿＿＿＿＿＿
＿＿＿＿＿＿＿＿＿＿＿＿＿＿＿＿＿＿＿＿＿＿＿＿＿＿＿＿＿＿＿＿＿＿
＿＿＿＿＿＿＿＿＿＿＿＿＿＿＿＿＿＿＿＿＿＿＿＿＿＿＿＿＿＿＿＿＿＿

教師からのコメント

「教師からのコメント」は、情報がまちがっていたりかたよっていたりすると思うことを書いたり、学習者がもっと関心を広げることができるようなヒントやアドバイスを書いたりします。ここでは、日本事情や日本文化について、学習者がどのように考えたかが大切ですから、もし日本語で書かせる場合も、日本語のチェックはしないほうがいいでしょう。学習者が自分の気づきや発見、考えを、正直に記録していき、それをまた後でふり返り、自分の変化や成長を知ることが大切です。それ以外の心理的な負担はできるだけ作らないようにします。

　このような「ふり返り」を入れたポートフォリオのファイルができたら、最後にもう一度、評価活動を行います。学習者が自分で自分のポートフォリオを見るだけでなく、学習者同士で見せ合うといいと思います。友だちのポートフォリオを見ることで、自分では気づかなかったポイントに気づくこともあるし、お互いの成果に対する友だち同士の温かい評価が、学習者の次の行動の自信になります。つまり、この日本事情や日本文化の学習において、もっと積極的に多くのものを発見しようとしたり、そのことについて、自由に考えたり、友だちと話したりすることができるようになります。

6-2. ルーブリック

　ルーブリックとは、評価の基準となる「ものさし」のことです。6-1で説明したポートフォリオのファイルの中に、これを入れることもできます。
　ここでは、ルーブリックについてくわしく書くことはできませんが、簡単に説明しておきます。
　ルーブリックでは、次のような表を作ります。

	S	A	B	C
評価項目1	評価基準	評価基準	評価基準	評価基準
評価項目2	評価基準	評価基準	評価基準	評価基準
評価項目3	評価基準	評価基準	評価基準	評価基準

　まず、表の左の欄（評価項目の欄）の中に、授業で、学習者の学習の過程や結果を見ようと考える項目を入れます。知識や理解だけでなく、学習の姿勢も入れることができます。そして、それぞれの項目について、次のような4つの評価基準を記述します。
　　A・・・期待する思考活動が十分できるレベル＝学習者全員の目標
　　B・・・期待する思考活動がだいたいできるレベル
　　C・・・期待する思考活動をするには、努力が必要なレベル
　　S・・・「A」のレベルに加えて、もっと＋αの思考活動ができるレベル
各項目について、教師が学習者全員に目指してもらいたいと思うことは、「A」のレベルに書きます。「B」や「C」は、そのレベルに足りない段階です。「S」のレベルは、教師が明確に目指していること以上に、学習者が活動できたらいいと思われることを書きます。

　たとえば、この本で扱ってきたことを大切にして日本事情や日本文化の授業をするとしたら、次のページの表のようなルーブリックを作ることができるでしょう。このルーブリックには、日本事情や日本文化の知識を得ることだけでなく、異文化にかかわる積極的な姿勢を評価することが表れています。たとえば③の評価項目では、教師が学習者に視覚資料やデータなどを提示した際、学習者がそれをしっかり観察して、自国と日本の共通点や相違点を整理できることを望んでいることを示しています。また、このルーブリックでは、「背景を推測できる」ことを「S」に書きましたが、もし、全員にそこまで到達してもらいたいと考える場合は、この記述を「A」に書きます。

71

	評価項目	S	A	B	C
日本事情や日本文化への興味・関心	① 日本事情や日本文化に関する知識を持つこと	日本事情や日本文化に関して、授業で提示した以上の知識や情報を持っている。	日本事情や日本文化に関して、授業で提示した十分な知識や情報を持っている。	日本事情や日本文化に関して、授業で提示した基本的な知識や情報を持っている。	日本事情や日本文化に関して、授業で提示した知識や情報を持っていない。
	② 自分で情報を収集すること	集めた情報を整理して、不十分な情報を自分で追加することができる。	関連する役立つ情報をたくさん集めることができる。	関連する情報を少し集めることができる。	関連する情報を集められない。
異なる文化を考える	③ 日本事情や日本文化に関する資料を観察し、自分や自国と比較すること	自分や自分の身近な人、ものとの共通点や相違点を整理した上で、それぞれの背景について自分なりに推測することができる。	自分や自分の身近な人、ものとの共通点や相違点を整理できる。	自分や自分の身近な人、ものと違うところ、不思議なところなどに気づくことができる。	自分や自分の身近な人、ものと違うところ、不思議なところなどを指摘することができない。
姿勢	④ グループでの話し合いに積極的にかかわり、異なる意見や考え方を受け入れること	話し合いでの発言が多く、自分が発見したことや気づいたことについて説明し、また、ほかの人の意見や考えもよく聞いている。さらに、異なる立場や考え方を受け入れ、その多様性や個別性の大切さに気づく。	話し合いでの発言が多く、自分が発見したことや気づいたことについて説明しようとしている。また、ほかの人の意見や考えをよく聞いて、自分と異なる意見を受け入れようとしている。	話し合いの中で、自分の意見を述べることはでき、ほかの人の意見にも反応しているが、異なる立場や考え方を自分の中に取り込もうとしていない。	話し合いの中でほかの人の意見を聞くだけで、自分から積極的に話し合いにかかわろうとしていない。

コースの目標や授業の方針、活動方法と、このルーブリックの評価基準は合っていなければなりません。たとえば、「知識」を与えることを重視した授業だったのに、この評価基準で「考える姿勢」を大切にしてしまうと、学習者はどのような態度で学習していけばいいか、わからなくなってしまいます。

　また、このようなコース全体のルーブリックができたら、学期ごとや、毎回の授業ごとについても、それに合わせたルーブリックを作ることができます。

【質問48】

第5章で紹介した授業例1（p.56）と授業例6（p.63）について、ルーブリックを作ってください。授業1つ1つのルーブリックでは、その授業で大切にしたいことを評価項目に記述します。そして、それぞれの評価基準を考えます。どのような評価項目にどのような基準を立てることができるでしょうか。

　このルーブリックは、コースや各授業の前に、学習者にも見せて、評価基準を意識して活動させたり、学習者自身も自己評価させたりする使い方もできます。そうすると、教師が授業で学習者に何を望んでいるのか、はっきり伝えることができます。学習者自身にこの評価表を渡して、学習の目標にさせるときは、評価基準の書き方に注意して、学習意欲を高めるような表現を使いましょう。

この巻で学んだことをふり返ってみましょう

　この本を読んで、みなさんも、日本語の授業の中に「日本事情や日本文化を扱う」活動を入れてみようとか、日本事情や日本文化の授業をやってみようなどと思うことができたでしょうか。ことばの学習の中で、その目標言語の国の事情や文化を扱うことは、学習者の動機を高めたり、ことばの学習をもっと活性化させたりすることにつなげることもできます。そして、日本のことだけでなく、新しいものや自分と違うものに出会ったときに、それをどのように見たらいいか、自分はどうしたらいいか、考える機会を与えることもできます。

　教師が「私は日本に住んだことがないから日本事情の授業はできない」とか「私は日本のことをあまり知らないから日本の文化は教えられない」などと思わないで、知識や情報を集める手段を探してみましょう。そして、「正しいことを教えよう」とするのではなく、教師も学習者といっしょになって、いろいろな日本を「しっかり見たり聞いたり」すれば、きっといい授業ができると思います。

《解答・解説編》
かいとう　かいせつへん

1 今までの授業をふり返る

1-1.「日本事情」や「日本文化」の授業

■【質問１】（略）

■【質問２】（解説）

次のような点を考えてみましょう。
- トピックや内容は、
    - コースの目標や、学習者の関心などから決められているか。
    - 教師が知っていること、教師がおもしろいと思うことだけを教えていないか。
    - 偶然見つけたことをすぐに使っていないか。
- 伝えている情報は、
    - （比較的）新しいか。
    - いろいろな情報をきちんと調べたものか。
    - １つの情報だけを信じて学習者に話し、かたよった考え方を伝えていないか。
- 授業では、
    - 教師が一方的に知識を伝える授業になっていないか。
    - 学習者は何をしているか、していないか。
- 授業後、
    - 学習者のどのような力が伸びているか。
    - それはコースの目標に合っているか。

1-2.「日本語」の授業の中で扱っている日本事情や日本文化

■【質問３】（略）

■【質問４】（解説）

次のような順番で考えて、それぞれの項目をどのくらい教えているか確認しましょう。

- 日本事情や日本文化に関する独立した科目では、どのようなことを教えていますか。
- 中級や上級の日本語の授業では、日本に関するテーマを扱っていますか。
- 初級の日本語の授業では、日本に関するどのようなことを扱っていますか。

■【質問5】(解説)
　教師が日本語の授業の中で扱っている日本事情や日本文化が、学習者の中に作っている日本のイメージを考えてみましょう。たとえば、日本の情報があまりなく、教科書の中の日本だけを勉強している学習者にとっては、日本や日本人のイメージは、とても伝統的な、古いイメージであることが多くあります。一方、テレビやインターネットなどで、日本のドラマや映画、まんがなどを見ている学習者にとっては、授業で勉強する日本のイメージと自分がほかの手段で得ている日本のイメージに大きいギャップがあり、とてもばらばらな日本像や日本人像ができていることがよくあります。伝統的なものや、その中の精神文化を教える授業もいいですが、「今の日本」「現代の日本人」をできるだけいろいろな角度から見ることも、大切にしましょう。

2 日本事情や日本文化の扱い方を考える

■【質問6】(略)

■【質問7】(解答例)
(1) 本物の素材
　　　メニュー
(2) タスク
　・英語がカタカナ語になる場合、英語の発音がどのように変わるか考える。
　・日本のメニューから、その店(レストラン)の様子を予測する。
　・オーストラリアのメニューと日本のメニューの違いと、そこから読み取れるオーストラリアの店(レストラン)と日本の店(レストラン)の違いを話し合う。
(3) 気づき
　・日本における洋食という文化、自国の食文化

■【質問8】(略)

■【質問9】（解答例）

①生活習慣・慣習

　＜共通点＞

　・友だちと数人で集まって食事をしている学生が多い。

　　（1人で食べている男の子もいる。）

　・女の子は女の子だけで、男の子は男の子だけで食べている。

　・ペットボトルなどの飲み物を飲んでいる。

　・教室にいろいろなものが貼られている。

　＜相違点＞

　・学生が教室の中で食事をしている。

　・学生が制服を着ている。

　・体育着で食べている学生もいる。

　・お弁当がきれいに作られている。

②所産・産物

　＜共通点＞

　　ペットボトル、パン、お弁当を包む布

　＜相違点＞

　　ごはんのお弁当、お箸、ペットボトルのカバー

■【質問10】（解答例）

・教室の中で食事をしている。（私たちの国では、教室では飲食は禁止されている。）

　→ 私たちの国では、教室はとても神聖な場所で、きれいにしなければなりません。
　　　日本人にとって、教室はもっと自分の家のようなものなのかもしれません。

・お弁当がきれいに作られている。（私たちの国では、昼食はパンと飲み物だけが多い。ときどき、野菜や果物を持ってくる人がいる。）

　→ 日本人にとって、食べ物は、色や形が大切なのかもしれません。

　→ 人がきれいに作ってきたら、ほかの人もきれいに作ろうと思うかもしれません。

　→ 細かいことが好きなのかもしれません。

■【質問11】（略）

3 内容を考える―初級の教科書の分析―

3-1. 文化に関するコラムや紹介文など

■【質問 12】（略）

3-2. 本文中の「日本に関係あることば」

■【質問 13】（解答例）

　地名、特に、関西（大阪、京都など）の地名が多いです。（この教科書が作られたところです。）学習者がよく知らない日本の地名が多いと、海外の機関でこの教科書をこのまま使う（特に練習する）のは難しいかもしれません。そのほか、日本料理の名前が多く出ています。また、新幹線や歌舞伎など、日本独特のものも多く入っています。

■【質問 14】（解答例）

　　　タイ中等教育向けの教科書『あきこと友だち』（国際交流基金）の例
　　　　＊太字は「ミニじょうほう」（文化コラム）にあるもの

課	日本に関することば	絵や写真
14	とうきょう、ほっかいどう、ほんしゅう、ふじさん、とうきょうタワー、すきやき、うどん、そば、ラーメン	日本地図、東京タワー、**年中行事（ひなまつり、盆踊りなど）**
15	すきやき、しょうゆ、おちゃ、おすし、からて、すもう、**ラーメン、そば、うどん、ていしょく、つけもの、みそしる、てんぷら、どんぶり、てんどん**	すもう、きもの、ラーメン、定食
16	日本人形、とうきょう、よこはま、おおさか、しんかんせん、ふじ山、おしろ、じんじゃ、きょうと、なら、お寺、ゆかた、きもの、**せんべい**	**土産物や**

・地名は、（『みんなの日本語』と違って）大きい都市に限られている。

・料理の名前がとても多い。

・伝統的な文化が多い。

・日常生活も伝えようとしている。

3-3. 本文中の「日常生活や行動を表すことば」

【質問 15】（解答例）

たとえば、『みんなの日本語初級Ⅰ』の第5課から第14課には次のようなことばがあります。

スーパー、レストラン、駅、電車、切符、タクシー、学校、図書館、病院、ごはん、ポスト など

3-4. ことば以外のもの

【質問 16】（解答例）

＜例1＞

この会話文は、外国人とマンションの管理人との会話です。ここでは、日本人の社会生活・日常生活がわかります。会話の内容として「ゴミの出し方」「お湯の故障はガス会社が修理すること」「マンションに管理人がいること」、イラストで「ゴミ置き場がどのようなところにあるのか」がわかります。

＜例2＞

「交番」ということばだけでなく、「交番には地図がはってある」という情報、「日光」ということばだけでなく、「日光には古い旅館がある、多いのかもしれない」という情報が紹介されています。

＜例3＞

会話を始めるときに、天気を話題にした表現を使うことがよくあります。四季の変化に合わせて、「いい天気ですね」「寒くなりましたね」とその表現を変えます。そして、この会話を注意して読むと、日本人がどんな天気を「いい天気」というのか、何月ごろ、「寒くなった」と感じるのか、考えることができます。また、「ちょっと郵便局まで。」という返事からは、日本の郵便局は身近にあり、あまり時間をかけなくても行くことができることがわかるでしょう。

【質問 17】（解答例）

たとえば、次の2つの例は、日本人同士の会話です。どちらも、言語学習項目に焦点を当てた会話文ですが、日本事情や日本文化の内容が話題になっています。

<例①>

> **DIALOGUE**
>
> (Kazuo and his wife Keiko discuss their year-end gift giving.)
>
> 和夫：岡田さんにお歳暮、何**あげよう**か。
> What'll we give Mr. Okada for a year-end gift?
>
> 恵子：ウィスキーを**さしあげて**はどうかしら。(F)
> Why don't we give him some whiskey?
>
> 和夫：去年、岡田さんには何**もらった**？
> What did we get from Mr. Okada last year?
>
> 恵子：たしか日本酒を**いただいた**わ。(F)
> If I remember correctly, we received some sake.
>
> 和夫：今年は何を**くれる**かな。
> I wonder what he'll give us this year.
>
> 恵子：きっとまた日本酒を**くださる**わ。(F)
> I'm sure he'll give us sake again.

『会話のにほんご』(The Japan Times) p.60

課	部分	教えている言語項目	日本事情や日本文化に関する話題・場面
11	会話	授受動詞 敬語、男女のことばの使い方	お歳暮に贈るもの （贈答の文化）

<例②>

> 娘　「お母さん、どうしてわたしが入れたお茶はおいしくないのかしら」
> 母　「あのね、日本茶を入れる時はね、あまり熱いお湯はだめなの」
> 娘　「ふーん」
> 母　「少しさましたお湯をね、お茶の葉っぱの上に入れてね、ふたをしてからしばらく待つのよ」
> 娘　「へえ、そうか。じゃ、こんどはそれでやってみるわ」

『なめらか日本語会話』(アルク) p.104

課	部分	教えている言語項目	日本事情や日本文化に関する話題・場面
16	会話	終助詞「ね」の使い方	日本茶の入れ方

■【質問 18】（略）

4 素材を考える

4-1. 日本に触れる環境

【質問 19】（解答例）

```
□メディア：テレビ、新聞、ラジオ、インターネット
□図書：日本語の教科書、雑誌、一般図書、まんが、歴史・地理などの教科書、
　　　　日本旅行のためのガイドブック
□施設：日本料理店、カラオケ、在外公館、日本企業
□人：近くに住んでいる日本人、留学生、観光客、同国人の日本滞在経験者
□その他：CD（歌）、DVD（映画、ドラマなど）、街で見かける看板、
　　　　日本から輸入されている電気製品、車、食品など
```

4-2. 写真を使う

【質問 20】（解答例）

わかること	わからないこと
・女の子のためのお祭り ・人形を飾る 　→正式な形は15人だが、女びなと男びなの2人だけ飾る家庭も多い ・特別な食べ物を食べる ・昔からの行事も残っている	・人形がどのようなものか ・特別な食べ物がどのようなもので、どのような味か ・行事の様子

【質問 21】（解答例）

写真があったら、人形がどのようなものかわかるようになります。

ほかにも、白酒、ひなあられ、ちらし寿司、ハマグリの吸い物、それらを食べている様子、流しびな、その行事をしている様子、などの写真があるとわかりやすくなります。

■【質問22】（解説）

　着物の写真や男の人、女の人、子どもが着物を着ている写真だけでなく、結婚式やお葬式、成人式、七五三、お正月など、着物を着ている人がいる様子の写真、そして、日常生活ではほとんど着物を着ている人がいないことを見せる写真もあったほうがいいでしょう。

■【質問23】（解答例）

- 上の写真は、ごはんやみそ汁の食事を食べている朝食の風景です。そして家族全員がそろって食べています。部屋も和室で、みんなたたみに座って食べています。
　この写真だけ見せたら、学習者は、日本のすべて（または多く）の家が、このような食事のスタイルを続けていると考えます。
- 下の写真からは、パンやコーヒーなどを食べている朝ごはんの様子を見ることができます。そして、お父さんだけが食べていて、娘は今、起きたばかりです。キッチンにあるテーブルで、いすに座って食べています。
　この写真だけ見せたら、学習者は、日本のすべて（または多く）の家が、今はこのようなスタイルで食事をしていると考えます。

■【質問24】（解答例）

- 自動販売機の大きさ
- 自動販売機が置かれている場所
- 飲み物以外の自動販売機があること
- 男の人が飲み物を買っている様子

■【質問25】（略）

4-3. 映像（動画）を使う

■【質問26】（解答）

　映像では、動きや変化を見ることができます。たとえば、人がいる場面では、人の表情の変化や動き、また、その対話や行動が行われている場所や、まわりの様子もわかります。

　日本事情や日本文化を扱う際、このような映像のよさが特に生かせるのは、情報として、

一連の動きが必要なものです。たとえば、駅で電車に乗るまでの様子や、料理の食べ方、ものの使い方など日本社会でよくある行動を見せるときに効果的です。

■【質問27】（解答）

映像の素材は、【質問26】で考えたようないい点がたくさんありますが、授業で見せると、とても時間がかかります。また、どんどん進んでいってしまうので、第2章で見たような「気づく・考える」という活動をするためには、何度も見直す必要があります。また、中心となる人物がいるような映像は、学習者の目や意識が、どうしてもその人物に集中してしまうので、人物のまわりの様子も観察させたいときは、教師がそのように指示して、導かなければなりません。時間や観察させたい内容によっては、写真のほうが適している場合もあるでしょう。また、写真と映像を組み合わせて見せることで、より理解が深まる場合もあるでしょう。

4-4. データを使う

■【質問28】（解答例）

3回の調査結果から以下のようなことがわかります。
- 日本人がしている余暇活動。
- 自分の家でできるビデオ・DVD鑑賞、読書などをする人が増えている。
- 食べ歩きやカラオケなどあまり遠くへ行かないでできることをする人は、2000年に減ったが、2003年にはまた増えている。
- 国内旅行をする人が徐々に増えてきている。
- ゴルフ、スキーなどは減ってきている。

■【質問29】（略）

■【質問30】（解答例）

- いつのデータか確認する。
  （「今の日本」のデータか、「少し前の日本」のデータか、に注意する。）
- データの対象者や人数などを確認する。
  （このデータの結果だけで、一般的なことが言えるかどうか、に注意する。）
- 学習者のレベルを考えて提示資料を工夫する。

4-5.「レアリア」を使う

■【質問31】（解答例）

文型やトピック	利用できるレアリア
月日	・カレンダー ・スケジュールが書かれている手帳や予定表
時間	・営業時間、診察時間、開館時間が書かれている看板の写真
～と～と、どちらが～ですか	・2つのスーパーのチラシ ・2つのアパートなどの部屋のチラシ ・服、かばん、くつ、電気製品などが紹介されていてる雑誌 ・飲み物などの缶や紙パック
注文する	・レストランやファストフード店のメニュー ・宅配のピザ、お弁当などのメニュー
友だちを誘う	・コンサートや劇の広告 ・映画館や遊園地などのチケット 　（使用した残りの半券でもよい）

【質問 32】（解答例）

	教科書のイラストを使う	レアリアを使う
日本語を教える	（長所） ・教えたいことばや情報に集中して注目させることができる （短所） ・実際の使用場面に近づけることができない	（長所） ・学習に、学習者の興味や関心をひきつけやすい ・実際の使用場面に近づけることができる （短所） ・学習者の興味が広がってしまうので、授業が予定どおりに進まなくなることがある
日本事情・日本文化を教える	（短所） ・実際に使われているものとの違いがわからない	（長所） ・それがどのような環境にあるのか、また実際にどのようになっているのかなどを見せることができる ・実際にどのようなものかを見せることができる。また、関連した情報を与えることができる

4-6. 日本人や日本をよく知っている人を招く

【質問 33】（解答例）

＜どのような活動ができるか＞

　①日本人が食生活について話す。

　②聞いたことをグループで確認し、日本人の話ではわからなかったことを整理する。

　③日本人に整理したことを話し、わからなかったことを質問する。

　④日本人の食生活でわかったことを文章にする。

＜どのような効果があるか＞

　学習者にとっては、もちろん、日本人の意見や考え方を直接知ることもできます。そして、教師もいっしょに学ぶことができます。また、日本語学習の点で、自然な日本語を聞く機会になり、実際にネイティブの人と話す経験にもなります。一方、日本人にとっても、学習者や教師と話すことで、みなさんの考え方がわかったり、自分自身をふり返ったりすることができるでしょう。

5 「日本事情・日本文化」を意識した授業を計画する

5-1. 日本語の授業の中に日本事情・日本文化を取り込む

■【質問34】（解答例）

日本語の面	・「(場所)に〜があります」 ・「○○さんは、毎日（毎朝、いつも…）、Vます」 ・「○○さんは、〜が好きです、○○さんのしゅみは〜です」など
文化の面	・以下の点について、日本と自分や自分の家族、地域、国とを比較し、共通点や相違点を見つけ、その背景について考えることができる。 　家や部屋の様子 　毎日の習慣 　好きなこと、趣味 など

■【質問35】（解答例）

日本語の面	・あげる／もらう　など
文化の面	・以下の点について、日本と自分や自分の家族、地域、国とを比較し、共通点や相違点を見つけ、その背景について考えることができる。 　贈り物の習慣 　年中行事 など

■【質問36】（解答例）

・似ているところ

　活動はどちらも、学習者の国の情報を学習者から出させ、日本の情報を教師が（視覚資料も利用して）与え、両者を学習者に比べさせています。

・違うところ

　活動案1では、日本の情報を得てから、自分についてふり返っていますが、活動案2では、自分の習慣を考えてから日本の情報を得ています。トピックや学習者の取り組みの姿勢などから、どちらがふさわしいか考えて行うといいでしょう。また、活動案2では、自国の習慣の整理を学習者個人で行っていて、比較対象の日本の情報は教師が「一般的なもの」「共通のもの」を説明しています。一方、活動案1では、自国の状況についても友だちの情報を積極的にまとめていて、日本の状況についても、複数の例

を見ています。そうすることで文化の多様性、個別性を認識するように指導することができます。

【質問37】（解答例）

国際交流基金日本語国際センター「日本語教育指導者養成プログラム」学生が考えた例

例1『みんなの日本語初級Ⅰ』（スリーエーネットワーク）

課	トピック	取り上げる（比べて考える）内容例
3	スーパー	スーパーの様子、商品、商品の値段、店員のことばや態度など
5	交通	交通機関、駅の様子、切符やカード、駅員の対応など
6	お花見	友人や家族が集まるとき、休みの活動など
	年中行事	年中行事、（行事で）すること、食べるものなど
7	日本の家	家の様子、家族など
	おみやげ	おみやげに渡すもの、渡し方、もらい方など

例2『初級日本語』（凡人社）

課	トピック	取り上げる（比べて考える）内容例
1	自己紹介	お辞儀、挨拶の仕方
2	学校	学校、教室、学生
3	寮	大学の寮、学生の部屋
4	休みの日	休みの日の過ごし方
6	買い物(1)	スーパー、デパート
8	友だちの家	家の間取り、学生の部屋の中
10	体育の授業	学校の体育の授業、部活動(剣道、空手、野球、ダンスなど)

【質問38】（解答例）

日本語の面	・数行の説明文を読んで、理解する
文化の面	・日本のレストランや食堂にあるものを知る ・日本のレストランのサービスに、どのようなものがあるか知る

【質問39】（略）

【質問40】（解答例）

「2007年度マレーシア日本語教育セミナー」参加者による整理例

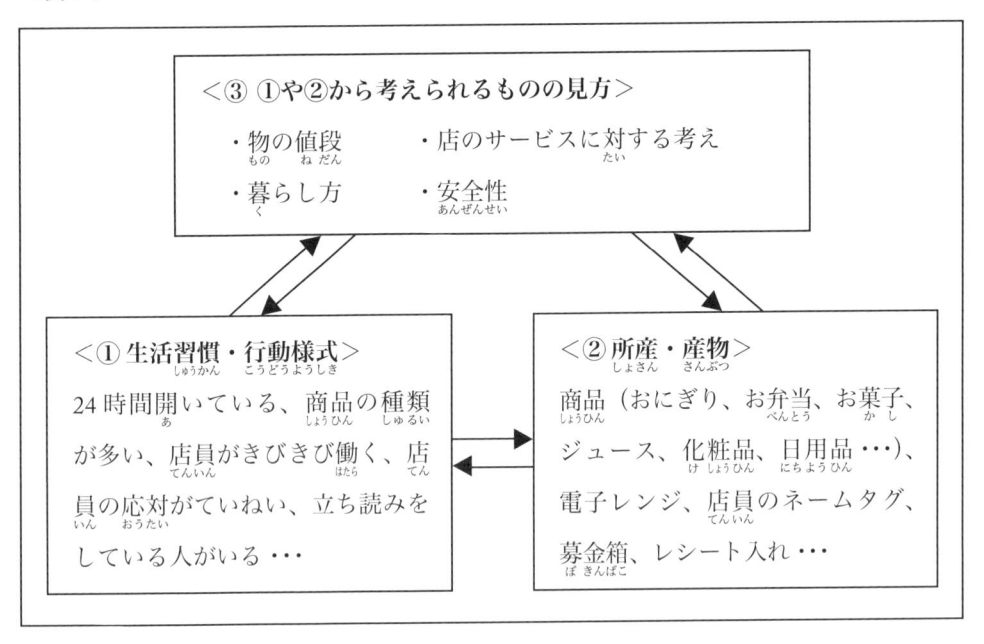

＜例１＞

```
┌─────────────────────────────────────────────────┐
│     ＜③ ①や②から考えられるものの見方＞         │
│   ・物の値段      ・店のサービスに対する考え    │
│   ・暮らし方      ・安全性                      │
└─────────────────────────────────────────────────┘
              ↕                    ↕
┌──────────────────────┐  ┌──────────────────────┐
│ ＜① 生活習慣・行動様式＞│  │ ＜② 所産・産物＞     │
│ 24時間開いている、商品の│  │ 商品（おにぎり、お弁 │
│ 種類が多い、店員がきびき│←→│ 当、お菓子、ジュース、│
│ び働く、店員の応対がてい│  │ 化粧品、日用品…）、 │
│ ねい、立ち読みをしている│  │ 電子レンジ、店員のネー│
│ 人がいる…            │  │ ムタグ、募金箱、レシー│
│                      │  │ ト入れ…              │
└──────────────────────┘  └──────────────────────┘
```

＜例２＞

```
┌─────────────────────────────────────────────────┐
│     ＜③ ①や②から考えられるものの見方＞         │
│  ・どうしてサービスが多いのか                   │
│  ・ATMの音声案内は必要か                        │
│  ・ごみの問題への取り組み、姿勢はどのようになっ │
│    ているか                                     │
└─────────────────────────────────────────────────┘
              ↕                    ↕
┌──────────────────────┐  ┌──────────────────────┐
│ ＜① 生活習慣・行動様式＞│  │ ＜② 所産・産物＞     │
│ いろいろな目的の客が来る│  │ 商品、コピー機、FAX、│
│ （コピーをする、FAXを  │←→│ ATM、デジカメのプリン│
│ する、物を送る、お弁当を│  │ トアウト、分別式ごみ │
│ 買って温めてもらう…） │  │ 箱、防犯ミラー       │
└──────────────────────┘  └──────────────────────┘
```

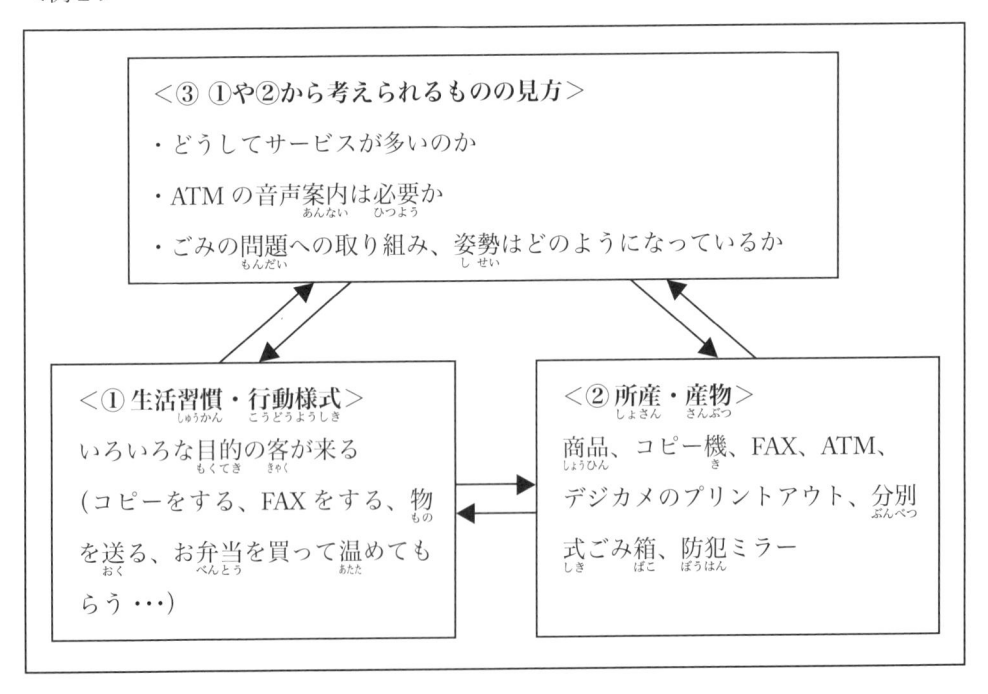

【質問 41】（解答例）

1) 文字がはっきり見えるので、教室で教師が見せるとき、学習者が読みやすく、文字の勉強に集中できます。

2) 文字の勉強のほかに、日本の看板の色やいろいろな文字のスタイルなどがわかります。

3) 文字の勉強のほかに、日本の風景や店の様子、どのようなところに看板があるのかも見ることができます。

日本事情や日本文化も扱うという点では、2）や3）のような写真のほうが適しています。文字の学習に集中させたいときと、文化面をあわせて扱うときでは、写真を使い分けるといいでしょう。

【質問 42】（解説）

中級や上級の読解や聴解の授業で扱われるトピックは、日本の「問題点」であることが多いです。確かに、そのようなトピックは、資料もそろいやすいし、ディスカッションもしやすいですが、そういったトピックばかりを取り上げていると、学習者にとっては、自分が勉強している目標言語の国のイメージがかたよることがあります。その結果、学習動機が下がってしまうこともあります。ですから、学習者の関心にも合わせて、日本のいろいろな面を取り上げる必要があります。

また、日本語教育用に作られた教材では、1人の筆者の考えが述べられているだけであることにも注意が必要です。教材を読むことで、学習者は「日本人が全員そう考えている」とか、逆に「日本人はみんな（筆者が批判するような）悪い部分がある」と思いがちです。たとえば、子どもの携帯電話の使用については、問題点をあげたり批判的に述べたりしている文章を授業で使うことが多いかもしれませんが、子どもたち自身や、携帯電話を子どもに持たせているさまざまな親の意見も使うように心がけたほうがいいでしょう。

5-2. 日本事情・日本文化を教えるための独立した授業を行う

【質問 43】（解答例・解説）

学習者が学べること

・日本人の食生活について知る。

・学習者それぞれのものの見方の多様性を知る。

③の話し合いの進め方

小さい紙を貼る位置を決めるのは、グループで話し合いをしやすくするため。早く作

業を行ったり、グループの意見が1つに統一されることを目標にするのではなく、その過程で、お互いの意見を十分に交換することが大切であると指導する。

④〜⑥の活動での学習者の姿勢
・ほかの文化の人たちも多様で、それぞれの考え方があるのではないかと考える。
・正解を求めないようにする。

前半は、今まで学習者が、それぞれなんとなく持っていた固定したイメージをもう一度見直すために行われます。自分が知っていたこと、思っていたことを書き出してから、グループのほかのメンバーの考え方を聞きます。③の活動で、小さい紙を集めて貼る位置を決める過程で、お互いの意見を十分に交換するように指導する必要があります。

後半は、相手の立場になって考えたり、それぞれの習慣の背景を考えたりする機会です。学習者の多くは、「正解」を求めたがるかもしれませんが、この活動では、「正解」を出すことが目的ではありません。相手の立場になって、行動や習慣の理由や背景を考えてみるという経験を重視しています。出された答えのまとめ方については、教師が現場に応じた対処方法を考えましょう。教師が、学習者の意見も大切にしながら、いくつかの予測を整理してもいいかもしれません。また、その後、学習者が自分で興味を持って調べていくようにうながし、そのためのリソースを教えるのも、とてもいいと思います。学習者のまわりに日本人がいる場合は、その人たちと話す機会を作ってもいいでしょう。ただし、それぞれの日本人の答えは「正解」というより「一個人の意見」であることを伝えておきます。

【質問44】（解答例）

A…店でのやり取りを日本語で行うことによって、客と店員の関係、友だち同士の関係を、ことばの面と非言語の面、両方から学べます。

B…意見を交換する過程で、1つのできごとを見る見方が学習者同士でも多様であることを学ぶことができます。そして、第2章で紹介した米国のStandardsの考え方のように、資料から直接わかるものをもとにして、その背景にある価値観や考え方についても話し合うことができたら、視野を広げて、社会を見る目、考える目を育てることができます。

C…多角的な視点で得た情報や考え方を整理して、それを利用して、ポスター作成や発表など、形にする方法を学べます。第2章で紹介したオーストラリアの「第3地点」を考えます。

■【質問45】（略）

■【質問46】（解答例）

- 学習者に、「日本語や日本の文化を教える」姿勢にならないようにする。

  ビジターが熱心で一生懸命なのはありがたいことですが、ビジターが事前にたくさん調べた情報を学習者に教えてしまうと、このセッションの意義からずれてしまいます。

- 自分について話す際、「一個人」の話であることを十分自覚し、学習者にもそのような話し方をする。

  日本人にもいろいろな生活や背景の人がいて、考え方もさまざまであるという前提を忘れずに、その中の1人として、個人と個人が向き合う活動なのだということを参加者が意識しなければなりません。ビジターの方々にも、授業の目的やそのためにお願いしたいことをきちんと伝えておく必要があります。

- 一方的に、学習者が聞く→日本人ビジターが答える、というような流れにせず、日本人ビジターが聞く→学習者が（自国について）答える、という時間やトピックも確保する。

  双方向型のセッションにすると、お互いの関係が対等であることをどちらも改めて認識することができます。

■【質問47】（解説）

　海外の学習者の中には、教科書や本のほかに、インターネットや新聞、テレビなどから情報を取っている学習者がいます。日本のドラマや映画、アニメなどから日本を知る機会を得ている学習者も少なくないです。どれもとても魅力的なリソースです。しかし、インターネットなどから得る情報は、学習者の興味のある情報に限られている場合があります。また、映画やドラマは、現実の日本をどの程度伝えているかと考えると、そうではない部分もあります。教師は学習者のリソースや情報源を知った上で、バランスよく情報を提供していくために、ほかのリソースもあわせて提示することが必要です。そして、画一的な日本のイメージを学習者が持たないように気をつけましょう。それぞれの学習環境の中で、できるだけ多面的な視野で情報が取れるように、リソースについて学習者と教師の情報交換ができるといいでしょう。

　参考のために、海外の大学生が行ったプロジェクトに使われたリソースの例をあげておきます。このプロジェクトワークは日本で行われましたが、海外でも応用できる部分が多いと思います。学習者にこのようなプロジェクトをさせることで、学習者の興味や関心がわかり、以後の授業に役立てることができます。

<例1＞「日本人の健康」

> A．インターネットで次のような項目に関するデータを探した
>   - 朝ごはんを毎日食べますか
>   - 食事のバランスに気をつけていますか
>   - どのくらい外食しますか
>   - 昔と比べて、最近、食生活は変わってきましたか
>   - 睡眠時間はどのくらいですか
>   - 定期的に健康診断を受けていますか
>   - どのくらい働きますか
>   - どのくらいたばこを吸ったりお酒やビールを飲んだりしますか
>
> B．インターネットで次のような写真を探した
>   - 朝ごはんの写真　　・外食する店の写真
>   - 温泉の写真　　　　・スポーツジムなどの写真
>
> C．まわりの日本人、数人に、次のような項目でインタビューした
>   - どんな食生活をしていますか
>   - よく眠れますか
>   - 具合が悪くなったらどうしますか
>   （医者に行く、薬を飲む、仕事を休む・・・）
>   - 健康のために気をつけていることはありますか

＜例2＞「現代日本人のお金の使い方」

> A．インターネットで次のような項目に関するデータを探した
>   - サラリーマンやOLの1カ月の収入（20代、30代、40代、50代）
>   - お金の使い方（20代、30代、40代、50代）
>   - 住宅費
>   - 貯金の金額と貯金する理由（20代、30代、40代、50代）
>   - 学費
>
> B．テレビの番組を録画した
>   - 週末に行くおすすめのレストラン、ショッピングモール
>
> C．知人の日本人に次のようなものをもらった
>   - 旅行のパンフレット
>   - 美容院のチラシ
>   - 女性向けの雑誌

＜例３＞「高校生や大学生のアルバイト」

> A．インターネットで次のような項目に関するデータを探した
>   - どのくらいの人がアルバイトしていますか（割合）
>   - どんなアルバイトをしていますか
>   - １週間に何時間ぐらいアルバイトをしていますか
>   - 時給はどのくらいですか
>
> B．インターネットで、いろいろなブログを見て、以下のような人を見つけて、写真とプロフィールをまとめた
>   - プールでインストラクターをしている人
>   - コンビニの店員をしている人
>   - レストランで働いている人
>   - 家庭教師をしている人
>   - アルバイトをしていない高校生（学校で禁止されている人、部活が忙しい人）
>
> C．日本人の知人20人に次のような項目でアンケートをした
>   - アルバイトをしていますか
>   →している人
>   - 何をどのくらいしていますか
>   - 何のためにしていますか
>   - 勉強と両立しますか
>   - 家族は賛成ですか
>   →していない人
>   - どうしてしていませんか
>   - 自分で使いたいお金は足りていますか

6 学習者が学んだことを確認する

6-2. ルーブリック

【質問48】（解答例・解説）

・授業例1：「結婚式」

	S	A	B	C
日本の結婚式の写真や映像を観察し、自国と比較する	写真や映像をよく見て、自分や自分の身近な人、ものと比べ、共通点や相違点を見出して整理した上で、その背景について自分なりに推測して書いたり話したりすることができる。	写真や映像をよく見て、自分や自分の身近な人、ものと比べ、共通点や相違点を見つけて整理することができる。	写真や映像を見て、不思議なところ、自分や自分の身近な人、ものとは違うところに気づいて書いたり話したりすることができる。	写真や映像を見ても、自分や自分の身近な人、ものと比べて違うところ、不思議なところなどを指摘することができない。
日本のさまざまな結婚式の写真や映像を観察し、情報を整理する	写真や映像を見て、いろいろな結婚式の共通点や相違点を見つけて整理し、同じ国の中にも多様な考え方があることに気づくことができる。自国についてもふり返ったり、ほかの国についても推測したりできる。	写真や映像を見て、いろいろな結婚式の共通点や相違点を見つけて整理することができる。	写真や映像を見て、いろいろな結婚式の共通点や相違点をいくつかあげることができる。	写真や映像を見ても、いろいろな結婚式の違いや共通点を指摘することができない。
グループでの話し合いに積極的にかかわり、異なる意見や考え方を受け入れること	話し合いでの発言が多く、自分が発見したことや気づいたことについて説明し、また、ほかの人の意見や考えもよく聞いて、異なる立場や考え方を受け入れ、その多様性や個別性の大切さに気づく。	話し合いでの発言が多く、自分が発見したことや気づいたことについて説明しようとしている。また、ほかの人の意見や考えをよく聞いて、自分と異なる意見を受け入れようとしている。	話し合いの中で、自分の意見を述べることはでき、ほかの人の意見にも反応しているが、異なる立場や考え方を自分の中に取り込もうとしていない。	話し合いの中で友だちの意見を聞くだけで、自分から積極的に話し合いにかかわろうとしていない。
自国と日本の人々の事情や文化をふまえた結婚式の案を作る	案には、授業で扱った日本と自国の共通点と相違点を形だけふまえるのではなく、その背景にある価値観や考え方も考慮した自分の考えを盛り込んでいる。	案には、授業で扱った日本と自国の共通点と相違点をふまえて、それぞれのよさを生かした自分の考えを盛り込んでいる。	案には、日本の結婚式が自国と異なる点について、配慮されている部分がある。	案には、授業で学んだことがまったく生かされていない。

ルーブリックは、それぞれの教師が、コースの目標や学習者に応じて作るものですから、いろいろな基準があってかまいません。大切なことは、授業の方針や活動方法と、このルーブリックの評価が合っていなければならないということです。教師が授業で大切にすること、つまり、学習者に持っていてほしい姿勢や学習の仕方を整理します。ここには一例をあげています。この「評価項目」は、「資料を見る力」と「グループで話し合いながら文化を考える力」を出しましたが、コースの目標によっては、「日本の文化についての基本的な知識（力）」と「日本の文化と自国の文化を比べる力」などの分け方もできるでしょう。もし、まわりにほかの教師がいたら、お互いに作ったルーブリックを見せ合って、意見交換をしてみましょう。

【参考文献】

石井容子・熊野七絵 (2008)「日本語・日本文化社会への気づきを促す「研修活動の記録」―自律学習の意識化を目指して―」WEB 版『日本語教育実践研究フォーラム報告』日本語教育学会 https://www.nkg.or.jp/event/.assets/event_2008_05.pdf（2010 年 2 月 19 日参照）

大川豊子 (2004)「「日本語学習スタンダーズ」の開発―全米レベルでの動きと教育現場での取り組み」『世界の日本語教育 日本語教育事情報告編』第 7 号 123-140　国際交流基金日本語国際センター

小川早百合 (2002)「文化"知識"としての"日本事情"再考」『21 世紀の「日本事情」』第 4 号 52-67　くろしお出版

オーティー，ヘレン・スペンサー編著、浅羽亮一監修 (2004)『異文化理解の語用論―理論と実践』研究社

佐野正之・水落一朗・鈴木龍一 (1995)『異文化理解のストラテジー― 50 の文化的トピックを視点にして』大修館書店

シャクリー，B.D.・バーバー，N.・アンブロース，R.・ハンズフォード，S. 著　田中耕治監訳 (2001)『ポートフォリオをデザインする―教育評価への新しい挑戦』ミネルヴァ書房

ジョナック，キャシー・根岸ウッド日実子・松本剛次 (2008)「オーストラリアの初中等教育における外国語教育の現在と国際交流基金シドニー日本文化センターの日本語教育支援―Intercultural Language Teaching and Learning の考え方を中心に」『国際交流基金日本語教育紀要』第 4 号 115-130　国際交流基金

スカーセラ，R.C.・オックスフォード，R.L 著．牧野髙吉訳・監修 (1997)『第 2 言語習得の理論と実践―タペストリー・アプローチ』松柏社

高浦勝義 (2004)『絶対評価とルーブリックの理論と実際』黎明書房

當作靖彦 (2006)「アメリカにおける外国語教育学習基準」『日本語学』vol.25 (13) 34-45 明治書院

文化庁文化部国語課 (1992)『文化的側面を重視した日本語教育の在り方に関する調査研究（中間報告）』文化庁文化部国語課

本名信行・ベイツ・ホッファ・秋山高二・竹下裕子編著 (2005)『異文化理解とコミュニケーション 1』三修社

マツモト, D. 著　南雅彦・佐藤公代監訳 (2001)『文化と心理学―比較文化心理学入門』北大路書房

八代京子・荒木晶子・樋口容視子・山本志都・コミサロフ喜美 (2001)『異文化コミュニケーションワークブック』三修社

矢部まゆみ (2001)「海外の初中等教育における日本語教育と＜文化リテラシー＞」『21 世紀の「日本事情」』第 3 号 16-29　くろしお出版

Hijirida Kyoko・Diane Uyetake (1991) Techniques and Strategies for Teaching Culture in Japanese Classrooms『世界の日本語教育』第 1 号 201-209　国際交流基金日本語国際センター

【引用した教材・シラバス等】

桂島宣弘（2005）『留学生のための日本事情入門―1冊でわかる最新日本の総合的紹介』文理閣

国際交流基金（2004）『日本語　あきこと友だち3』国際交流基金

国際交流基金（2006）「日本語教育通信」54号　国際交流基金

国際交流基金（2006）『日本語教師必携すぐに使える「レアリア・生教材」コレクション CD-ROM ブック』スリーエーネットワーク

国際交流基金（2007）『DVDで学ぶ日本語　エリンが挑戦！にほんごできます。Vol.1』凡人社

国際交流基金（2007）『DVDで学ぶ日本語　エリンが挑戦！にほんごできます。Vol.2』凡人社

国際交流基金「みんなの教材サイト」https://www.kyozai.jpf.go.jp/

国際文化フォーラム「であい」http://www.tjf.or.jp/deai/

佐々木瑞枝・門倉正美（2007）『会話のにほんご 改訂新版』The Japan Times

スリーエーネットワーク（2003）『みんなの日本語　初級Ⅰ本冊（初版）』スリーエーネットワーク

スリーエーネットワーク（2003）『みんなの日本語　初級Ⅱ本冊（初版）』スリーエーネットワーク

東京外国語大学留学生日本語教育センター（1994）『初級日本語（初版）』凡人社

富阪容子（2005）『なめらか日本語会話 CD つき 新装版』アルク

日本語ジャーナル編集部（1991）『日本生活事情 LIVING IN JAPAN：A HANDBOOK』アルク

坂野永理・大野裕・坂根庸子・品川恭子（1999）『げんきⅠ（初版）』The Japan Times

Tohsaku, Yasu-Hiko (1994)『ようこそ』McGraw-Hill

＜韓国＞

초·중등학교 교육과정 교육인적자원부 고시 제 2007-79 호（2007 년 2 월 28 일）

（初・中等学校教育課程 教育人的資源部告示第 2007-79 号（2007 年 2 月 28 日））

＜オーストラリア＞

Ministerial Council on Education, Employment, Training and Youth Affairs (2005)
National Statement for Languages Education in Australian Schools - National Plan for Languages Education in Australian Schools 2005-2008

Intercultural Language Teaching and Learning in Practice
http://www.iltlp.unisa.edu.au/

＜アメリカ＞

National Standards Foreign Language Education Project (1999) *Standards for Foreign Language Learning in the 21st Century*

21 世紀の外国語学習スタンダーズ日本語版（国際交流基金日本語国際センター）
http://www.jpf.go.jp/j/japanese/survey/country/syllabus/sy_tra.html

【執筆者】
坪山由美子（つぼやま　ゆみこ）
簗島史恵（やなしま　ふみえ）

◆教授法教材プロジェクトチーム
　久保田美子（チームリーダー）
　阿部洋子／木谷直之／木田真理／小玉安恵／岩本（中村）雅子／長坂水晶／簗島史恵

　※執筆者およびプロジェクトチームのメンバーは、初版刊行時には、
　　すべて国際交流基金日本語国際センター専任講師

国際交流基金 日本語教授法シリーズ
第 11 巻「日本事情・日本文化を教える」
The Japan Foundation Teaching Japanese Series 11
Teaching Japanese Culture
The Japan Foundation

発行	2010 年 5 月 20 日　初版 1 刷
	2025 年 4 月 18 日　　　5 刷
定価	900 円 + 税
著者	国際交流基金
発行者	松本 功
装丁	吉岡 透 (ae)
印刷・製本	三美印刷株式会社
発行所	株式会社ひつじ書房

〒 112-0011　東京都文京区 千石 2-1-2　大和ビル 2F
Tel : 03-5319-4916　Fax : 03-5319-4917
郵便振替　00120 8-142852
toiawase@hituzi.co.jp　http://www.hituzi.co.jp/

Ⓒ 2010 The Japan Foundation
ISBN978-4-89476-311-1

造本には充分注意しておりますが、落丁・乱丁などがございましたら、
小社かお買い上げ書店にておとりかえいたします。
ご意見・ご感想など、小社までお寄せくださされば幸いです。

━━━━━━━━━━━━━━━━ 好評発売中！ ━━━━━━━━━━━━━━━━

日本で学ぶ留学生のための中級日本語教科書
出会い【本冊　テーマ学習・タスク活動編】
東京外国語大学留学生日本語教育センター 著　定価 3,000 円＋税

日本で学ぶ留学生のための中級日本語教科書
出会い【別冊　文型・表現練習編】
東京外国語大学留学生日本語教育センター 著　定価 1,800 円＋税

「大学生」になるための日本語 1・2
堤良一・長谷川哲子 著　各巻 定価 1,900 円＋税

日本語がいっぱい
李德泳・小木直美・當眞正裕・米澤陽子 著　Cui Yue Yan 絵　定価 3,000 円＋税